BARBARA SCHERMERHORN-ROO

JET B[illegible]R MEULEN

TO D[illegible]

MARIA DE QUAY-VAN DER LANDE

MINI MARIJNEN-SCHREURS

TRUUS CALS-VAN DER HEIJDEN

HETTY ZIJLSTRA-BLOKSMA

ANNEKE DE JONG-BARTELS

MIES BIESHEUVEL-MEURING

LIESBETH DEN UYL-VAN VESSEM

EUGENIE VAN AGT-KREKELBERG

RIA LUBBERS-HOOGEWEEGEN

RITA KOK-ROUKEMA

BIANCA HOOGENDIJK

BARBARA SCHERMERHORN-ROOK

JET BEEL-VAN DER MEULEN

TO DREES-HENT

MARIA DE QUAY-VAN DER LANDE

MINI MARIJNEN-SCHREURS

TRUUS CALS-VAN DER HEIJDEN

HETTY ZIJLSTRA-BLOKSMA

ANNEKE DE JONG-BARTELS

MIES BIESHEUVEL-MEURING

LIESBETH DEN UYL-VAN VESSEM

EUGENIE VAN AGT-KREKELBERG

RIA LUBBERS-HOOGEWEEGEN

RITA KOK-ROUKEMA

BIANCA HOOGENDIJK

Getrouwd met de premier

Getrouwd met de premier

De first lady's van Nederland in veertien portretten

Peter Rehwinkel e.a.

PLATAAN

INHOUD

Vooraf

Het is 1971, de Japanse keizer Hirohito zal Nederland bezoeken. Slachtoffers van de Japanse bezetting zijn het er niet mee eens, ze protesteren hevig. Cabaretier Wim Kan, zelf ex-krijgsgevangene, begint een actie om het bezoek te voorkomen. Mies Biesheuvel, de vrouw van premier Barend Biesheuvel, schrijft hem, zonder dat haar man het weet, een open brief. 'Meneer Kan, wanneer u de volgende keer weer oproept tot rebellie, wilt u dan uw helpers vragen om de ruiten niet op zondag in te gooien. Dit is zo'n vervelende dag voor een huisvrouw, weet u. Met vriendelijke groeten, mevrouw Biesheuvel.'

In 1965 wil premiersvrouw Mini Marijnen midden in de nacht de politie bellen – het geschreeuw en lawaai uit de herenkamer van het Catshuis is wel erg heftig. Ze denkt dat er klappen gaan vallen en ziet dat de voorzitter van de KVP naar de kachelpoken kijkt. Maar voordat ze de telefoon kan pakken, rent de grootste 'onruststoker' de deur uit. Kort daarna valt het kabinet.

Liesbeth den Uyl maakt het haar man in de loop der jaren zo moeilijk dat intimi denken dat hun huwelijk geen stand zal houden. Als partijgenoot Ed van Thijn een keer klaagt over zijn eigen huwelijk en vertelt dat hij wil scheiden, zegt Joop den Uyl: 'Ed, als ik het al volhoud...'

Veertien vrouwen, van veertien naoorlogse premiers. Wie waren ze? In het buitenland kent iedereen de *first lady*. Barbara Bush, Hillary Clinton en Sandra Roelofs, de Zeeuwse vrouw van de president van Georgië, zijn populairder dan hun man. Maar Bianca Hoogendijk, de vrouw van Jan Peter Balkenende, is bijna onzichtbaar. En de meeste van haar voorgangsters waren dat ook. Mies Biesheuvel, Liesbeth den Uyl, Ria Lubbers en Rita Kok praatten wel met journalisten. Maar de andere tien niet, ze hadden een hekel aan publiciteit. To Drees, *first lady* van 1948-1958, vond dat ze er 'beter aan deed' om geen interviews te geven. 'Het gaat dan immers óf over het werk van mijn man óf over meer intieme huiselijke bijzonderheden.'

Auteurs uit journalistiek, wetenschap en politiek zochten in archieven, raadpleegden kranten, tijdschriften en boeken, spoorden familieleden en vrienden op, spraken – als dat nog kon – met de vrouwen zelf of met hun echtgenoten. Het resulteerde in veertien portretten van *first lady's* – hun leven, hun ambities, hun frustraties. Maar *Getrouwd met de premier* is niet alleen *petite histoire*. Het laat ook iets van het politieke bedrijf in Nederland zien – vanuit de huiskamer van de minister-president.

Nuchtere, gewone vrouwen waren het. Truus Cals ging met haar gezin in de caravan op vakantie, de families Marijnen en Den Uyl kampeerden het liefst in een tent. Mies Biesheuvel verkocht oude spulletjes via de krant, ook toen ze premiersvrouw was. Hun afkomst en hun opleiding waren meestal ook gewoon. De een was de dochter van een behanger, de ander kind van een timmerman. Ze redden zich met alleen de lagere school, de huishoudschool of de snijschool. Drie van de veertien vrouwen rondden universitaire studies af.

Kind van hun tijd waren ze. In de zestig voorbijkomende jaren veranderden ze van stille diensters in uitgesproken feministes. En vandaar in zelfstandige carrièremaaksters. 'Haar huis was haar fort', gold voor de eerste naoorlogse premiersvrouw, Barbara Schermerhorn. De volgende, Jet Beel, had haar domein in de keuken. Truus Cals noemde zich 'gewoon huismoeder' – al ging haar belangstelling duidelijk verder dan huis en tuin. Liesbeth den Uyl stalde haar kinderen bij de portier van de universiteitsbibliotheek, als ze binnen wilde gaan studeren. En in 2004 is er voor het eerst een premiersvrouw met een doctorstitel. Zij is blijven werken, ook al heeft ze een kind en is ze getrouwd met Jan Peter Balkenende.

Ook de mannen gingen in de loop van de jaren anders naar hun vrouwen kijken. De zoon van Barbara en Willem Schermerhorn vertelt over zijn moeder: 'Ze was een ideaal thuisfront en voor vader was ze zéér loyaal.' En: 'Ze heeft hem veel vrijgespeeld, kreeg erg weinig bevestiging, maar klaagde niet.' Bijna zestig jaar later zegt Wim Kok over Rita: 'Ze heeft zich zorgvuldig een eigen leven aangemeten.' En: 'Volgens mij is ons huwelijk daardoor ook in de zwaardere jaren zo goed gebleven. Ze zat als het ware niet op me te wachten.' Met de huidige minister-president lijkt de emancipatie voltooid. Hij vindt het niet slim van vrouwen om met hun baan te stoppen als er een baby komt. 'Werk is ook een stuk ontplooiing.'

Vrijwel geen enkele Nederlandse premiersvrouw was blij met haar vooraanstaande positie. Ze steunden hun man, dat wel, maar hoopten vooral dat het zo snel mogelijk weer voorbij was. Jet Beel klaagde dat Louis gewoon gemeenteambtenaar had moeten blijven, dan was ze niet zo ongelukkig geworden. En Bianca Hoogendijk vertelde: 'Ik heb echt tot het laatste moment gehoopt: laat het alsjeblieft goed komen.' Alleen Hetty Zijlstra en Liesbeth den Uyl lijken, ieder op hun eigen manier, van het premierschap van hun man te hebben genoten.

Misschien is het Catshuis wel het symbool van de onaantrekkelijkheid van het premierschap. Deze staatswoning werd begin jaren zestig aangeschaft onder het kabinet-De Quay, voor een betere representatie van Nederland. Victor en Mini Marijnen trokken er als eersten in en woonden er als enigen met plezier. Truus Cals, na Mini Marijnen, beschouwde het Catshuis als een museum. Anneke en Piet de Jong woonden er ook nog, maar Anneke vond het maar niets. Met pijn in het hart verliet ze haar oude huis. Toen kwam Mies Biesheuvel en die weigerde pertinent: 'Dan zit je daar net met je nieuwe gordijnen, valt het kabinet en kan je er weer uit.' Daarna voelde geen premiersgezin er nog voor het eigen, comfortabele huis te verruilen voor een kortstondig verblijf in een 'ongezellige' ambtswoning – zeker de vrouwen niet.

De meeste *first lady's* hadden dan wel een hekel aan de politiek, maar achter gesloten deuren spraken ze zich er ferm over uit. Een 'scherp oordeel', heette het bij de politiek ongeïnteresseerde Barbara Schermerhorn. 'Feller en sneller dan haar man', zei men over de bescheiden To Drees. Maria de Quay noemde zichzelf zelfs 'agressief'. Mies Biesheuvel had moeite met nuances en Ria Lubbers kon haar spontaniteit niet onderdrukken.

De ene *first lady* bemoeide zich meer met de staatszaken dan de andere. Jet en Louis Beel spraken nooit met elkaar over politiek, Anneke en Piet de Jong ook niet – hij wist niet eens wat zijn vrouw stemde. Maar Victor Marijnen schoof in bed graag de staatsstukken door naar zijn vrouw Mini. Jan de Quay nam geen enkele belangrijke beslissing zonder zijn vrouw te raadplegen en zo was het ook bij Barend Biesheuvel, die op spannende momenten even met Mies moest bellen. Een uitgesproken politieke rol speelde Liesbeth den Uyl. Ze deed volop mee aan Joops verkiezingscampagnes. En voor de vrouwenstrijd zette ze alles in om haar man te sturen: 'Hij kreeg het recht voor zijn raap.'

Lange tijd moest een premiersvrouw die niet ongelukkig wilde worden inschikkelijk, opofferingsgezind en volgzaam zijn. Anneke de Jong, oud-verzetskoerierster en ex-Marva, vond het haar plicht om haar man waar nodig terzijde te staan. Ook To Drees was plichtsgetrouw. Maar niet iedereen kon dat opbrengen. Liesbeth den Uyl en Ria Lubbers schopten, waar mogelijk, tegen het protocol. Eugenie van Agt weigerde als decoratieve achtergrond te fungeren en liet het liefst verstek gaan bij officiële gelegenheden. Rita Kok vertikte het om tijdens staatsbezoeken en buitenlandse reizen alleen maar te winkelen en musea te bezichtigen. Ze wilde een inhoudelijk programma en anders ging ze niet mee.

Lange dagen en avonden zonder echtgenoot, daar moet een *first lady* ook tegen kunnen. Maria de Quay voelde zich tijdens het premierschap van haar man nutteloos en buitengesloten. De kinderen van Mies Biesheuvel vertelden: 'Moeder was avond aan avond alleen. Dat was haar bijdrage aan vaders bestaan.' Ria Lubbers had er op het laatst geen zin meer in om vrouw van de premier te zijn. Ze werd via de media de hele dag met Ruud geconfronteerd, maar zag hem zelden zelf.

De premiersvrouwen konden hun emoties lang niet met iedereen delen. Ze vonden begrip bij hun 'lotgenoten', de andere ministersvrouwen. Tot ver in de jaren negentig was het de gewoonte dat de 'eerste echtgenote' bijeenkomsten en uitstapjes organiseerde. Ze gaf de andere ministersvrouwen ook instructies over de omgang met publiciteit en over kleding en protocol. Maar ze wisselden vooral ervaringen uit. Hetty Zijlstra: 'Andere ministersvrouwen klaagden er altijd over dat hun man zoveel uren thuis zat te werken.' Onder elkaar spraken ze over agressie van het publiek en kinderen die op school werden gepest om hun vader. Deze bijeenkomsten hadden vaak een therapeutisch karakter. In de tijd van Ria Lubbers werd er zelfs gehuild en gevloekt.

Zijn de *first lady's* te benijden? Hun man verlangt een klankbord, een stralende metgezel, iemand die hem met raad en daad terzijde staat, de gasten ontvangt, de kinderen opvoedt, het huishouden draaiende houdt. De kinderen vinden het decorum en de contacten wel interessant, maar wensen voor het overige een gewoon leven. De vrouwen van de andere ministers willen een middelpunt. De pers eist een gezicht naast de belangrijkste politieke ambtsdrager van het land. Er zijn allerlei verplichtingen.

Toch hebben de veertien premiersvrouwen hun eigen keuzes gemaakt. Zij bepaalden wat voor leven ze als *first lady* wilden leiden. Thuis blijven, of zich buitenshuis ontplooien. Wel of niet bij de politiek betrokken zijn. De publiciteit mijden of opzoeken. Blijven werken. Wie klaagt erover dat Bianca Hoogendijk zo onzichtbaar is?

Ze had een man kunnen zijn – de man van de eerste vrouwelijke minister-president.

Peter Rehwinkel

foto Spaarnestad Fotoarchief

Barbara en Willem Schermerhorn

Barbara Schermerhorn-Rook (1897-1986)

Loyale huismoeder

Barbara Schermerhorn-Rook werd in juni 1945 de eerste naoorlogse premiersvrouw. Zo'n plaats kies je niet, die krijg je toebedeeld. Dat gold in zekere zin ook voor haar man, Willem Schermerhorn, die hoogleraar in Delft was. Hij bekende later in een interview dat hij zeer verrast was dat koningin Wilhelmina hem tot formateur benoemde. Barbara's verrassing was niet kleiner, maar ze liet het nauwelijks merken. Ze accepteerde het nieuws met een stille zucht. Het plichtsgevoel was groot in huize Schermerhorn. Willem zou slechts een jaar premier zijn, van juni 1945 tot juni 1946, maar het zou hem, en Barbara, voor het leven tekenen.

Toen Willem Barbara leerde kennen, lag zijn politieke carrière nog ver achter de horizon. Hij was in 1894 geboren als de oudste zoon in een boerengezin in de Schermer. Een ongeluk dreef hem naar de wetenschap en uiteindelijk naar de politiek. Als klein kind verbrandde hij zijn hand aan kokende melk. De verwondingen gaven zulke complicaties dat een toekomst in het boerenbedrijf onmogelijk was. Na de

HBS ging hij in Delft civiele techniek studeren. Hij wisselde er collegedictaten uit met Anton Mussert, een andere ingenieur die het Nederlandse politieke landschap zou bepalen. En hij ontmoette er Barbara Rook.

Barbara was tweeënhalf jaar jonger dan Willem. Ze was op 13 juni 1897 in Delft geboren als het oudste kind van de broodbakker Barend Rook (1869-1913) en Lina Christina de Lange (1866-1949). Ze had een zus en twee jongere broers. Ook haar grootvader was bakker geweest, maar in eerdere generaties kwamen veel steenovenstokers voor. Wellicht dat de naam Rook aan dat beroep was ontleend. Hoe dan ook, Barbara groeide niet op onder de rook van baksteenovens, maar in de geur van gist en deeg in de Delftse bakkerij.

Het gezin Rook had het niet slecht, maar voor een lange opleiding was geen plaats. Barbara was trouwens dyslectisch en wellicht daardoor geen studiehoofd. Na de lagere school en enkele jaren huishoudschool ging zij haar moeder in de huishouding helpen. Daar ontmoette ze de student Willem, die als kostganger bij de bakkersweduwe inwoonde – vader Rook was in 1913 overleden. Er was nog een tweede student in huis, die met Barbara's zuster Rie zou trouwen.

Het was pure verliefdheid die Willem en Barbara tot het huwelijk bracht. De grote verschillen in opleiding vormden geen belemmering. Willem was zich bewust van zijn eigen bescheiden afkomst en viel op de ernst en oprechtheid van Barbara. Ze trouwden in Delft op 9 april 1919 en zouden 58 jaar samen zijn. Voor Barbara betekende het huwelijk een breuk met de sfeer van haar jeugd. Ze trouwde niet alleen 'omhoog', maar onder Willems invloed zou ze ook afstand nemen van het streng-christelijke milieu van haar ouders. Willem, zoon van een hervormde moeder en een ongelovige vader, had zich in zijn studietijd aangesloten bij de remonstrantse broederschap en na hun huwelijk zou Barbara zijn voorbeeld volgen. De banden met haar moeder en haar broers zouden nooit hartelijk zijn. Barbara's kinderen herinneren zich de bezoeken aan oma Rook als uitstapjes in een strenge, sobere en onhartelijke wereld.

Willem begon bescheiden als wetenschappelijk assistent, maar hij maakte snel carrière. Hij werd wereldberoemd als deskundige in de luchtkartering, richtte hiervoor een adviesbureau op, en werd in 1926 hoogleraar in de geodesie (landmeetkunde). Tussen 1920 en 1936 kregen ze vier kinderen: Teun Dirk (1920), Lina Christina (Lieneke) (1921), Barend Willem (Bob) (1924), en de nakomer Dirk (1936). De zorg voor de kinderen lag helemaal in handen van Barbara. In de herinnering van dochter Lieneke was haar vader altijd aan het werk. 'Hij had maar weinig slaap nodig; als ik opstond, was hij alweer aan de slag.' Zoon Dirk bevestigt het: 'Ik zie hem nóg aan de ontbijttafel, altijd met zijn neus in de stukken.' Naast zijn wetenschappelijke werk, schreef Willem veel artikelen over maatschappelijke vraagstukken, was betrokken bij de armenzorg, zat in het bestuur van de VPRO, en was voorzitter van de beweging Eenheid door Democratie. Als pionier in de luchtkartering maakte Willem talloze reizen naar vele uithoeken van de aarde, zoals China, Rusland, Nederlands-Indië, Birma en Palestina. Soms was hij enkele maanden van huis. En elke keer als hij voor een reis vertrok, pakte Barbara zijn koffer.

Van een eigen werkkring voor Barbara was geen sprake. Ze was daar helemaal niet op voorbereid, en het was in deze jaren heel ongewoon dat vrouwen een onafhankelijke betrekking hadden, zeker als ze getrouwd waren. Nog in 1937 diende de regering een wetsvoorstel in om de arbeid van gehuwde vrouwen te verbieden. Kortom: het huismoederschap werd geacht de ultieme taak en vervulling van de vrouw te zijn. En dat was het voor Barbara ook. In tegenstelling tot haar uithuizige echtgenoot, strekte Barbara's actieradius zelden verder dan haar gezin. Dat was in haar jeugd zo geweest en het zou in haar huwelijk ook zo blijven. 'Haar huis was haar fort', vertelt haar jongste zoon Dirk.

Toch was Barbara geen koekjes-bij-de-theetype. Haar kinderen typeren haar als flink en uitgesproken. Een vriend van haar oudste zoon Teun beschrijft haar als een waardige dame, zorgzaam, met een rechte gestalte, een vriendelijk gezicht en een rustige wijze van handelen. Een stevige Hollandse vrouw, fier, sober, moralistisch, en meer vriendelijk dan warm. Ze zocht ook weinig vertier buiten de deur. Voor haar geen gezelligheidsvereniging, ze deed zelfs niet mee aan het hoogleraarsvrouwenkoor dat Delft rijk was.

Barbara's praktische levenshouding was zonder twijfel een uitkomst voor het gezin in de moeilijke jaren van de oorlog, en erna. Vanwege zijn kritiek op het nationaal-socialisme werd Willem in 1942 door de Duitse Sicherheitspolizei gearresteerd en in het gijzelaarskamp Sint-Michielsgestel gevangen gezet. In het kamp ontpopte Willem zich als leider van de Nederlandse Volksbeweging en hij ontwikkelde met zijn kampgenoten plannen voor het naoorlogse Nederland. Barbara mocht haar man niet opzoeken, maar door de wekelijkse briefwisseling bleef ze wel op de hoogte van zijn bezigheden, al kon hij vanwege de censuur niet in detail treden. Nooit zou de mannenwereld van de politiek, of in dit geval de politieke wensdromerij, sterker gescheiden zijn van het huiselijke domein. Barbara woonde alleen met haar jongste zoon Dirk in een kamer op de eerste etage van het ruime professorenhuis aan de Kanaalweg in Delft. Ze kookte er op een potkachel, de enige in huis die gestookt werd. Ze redderde het huishouden, nu zonder het Duitse dienstmeisje dat haar voor de oorlog altijd had bijgestaan.

Willem werd in december 1943 uit Sint-Michielsgestel vrijgelaten, maar hij bleef actief in het politieke verzet, vooral als redacteur van het illegale blad *Je Maintiendrai*. Vaak verbleef hij op wisselende adressen, thuis en in Amsterdam, en enkele malen dook hij onder bij zijn neven in de Schermer. Het is opmerkelijk dat geen van de kinderen een duidelijke herinnering heeft aan vaders aan- of afwezigheid in de laatste oorlogsjaren. Het typeert de onzekere tijd, maar ook het beeld dat zij van hun vader hadden: altijd werkend en vaak afwezig.

Angstig aangelegd was Barbara zeker niet. 'Ik heb haar slechts eenmaal in tranen gezien, toen vader werd opgepakt en naar Sint-Michielsgestel werd gebracht', vertelt zoon Dirk. Een oorlogsverhaal dat in de familie de ronde doet, illustreert haar karakter. Toen Willem nog als gijzelaar vastzat, werd zij in Delft door een Duitse militair aangehouden die haar fiets wilde confisqueren. Hardnekkig hield ze haar rijwiel vast en wist het uit de handen van de soldaat te wringen, die zijn poging toen maar opgaf.

Wel drukten de oorlogsjaren zwaar op haar. Haar man zat gevangen en haar zoon Teun was als arbeider naar Duitsland gevoerd en kwam in 1944 ernstig ziek thuis. Zijzelf werd bij een tramrit uit het rijtuig geslingerd en kwam tegen een paal terecht. Ternauwernood ontsnapte zij aan een voetamputatie, en ze bleef lang last houden van haar been. Maar dankzij haar stevige protestantse achtergrond nam zij het leven zoals het kwam, met een ongefrustreerde plichtsgetrouwheid en een christelijke aanvaarding die nu bijna ondenkbaar zijn.

Zo ging het ook met Willems benoeming tot premier. Op 10 mei 1945 werd hij, samen met de SDAP'er en oud-kampgenoot uit Sint-Michielsgestel, Willem Drees, door koningin Wilhelmina ontboden op haar tijdelijke residentie nabij Breda. Zij waren de eerste leiders uit de politiek en de illegaliteit die Wilhelmina na de oorlog raadpleegde. Achttien dagen later vroeg Wilhelmina hen om een kabinet te vormen dat leiding moest geven aan de wederopbouw van het geschonden Nederland en aan de vernieuwing van het maatschappelijke bestel. De twee mannen spraken onderling af dat Schermerhorn het kabinet zou leiden en dat Drees vicepremier zou worden. Natuurlijk werd er thuis over de opdracht gesproken, en zoals altijd stond Barbara achter haar man. 'Ze vond het niet leuk, maar vond wel dat hij het moest doen', zegt dochter Lieneke. 'Als er al sprake was van trots, dan werd deze volkomen in bedwang gehouden. Ze was wel bang dat hij ijdel zou worden, iets waarvoor zij hem vaak waarschuwde.'

Als premier liet Schermerhorn zich kennen als een openhartige bestuurder. Recht voor zijn raap. Hij was een groot voorstander van politieke vernieuwing en was, tot afgrijzen van de liberale en confessionele partijen, bereid met de Indonesische opstandelingen te praten. Hij geloofde in de maakbaarheid van de samenleving, en in de mogelijkheid om het politieke bestel om te vormen. Toch was hij meer moralist dan partijpoliticus, meer organisator dan strateeg. Niet iedereen kon hem waarderen. Zijn pogingen om de oude partijlijnen te doorbreken en vooral zijn houding jegens de Indonesische Republiek bezorgden hem veel vijanden.

Barbara's wereld stond mijlenver af van die van de internationale wetenschap en van de nationale politiek van haar echtgenoot. De intellectuele kloof tussen hen beiden was groot. Barbara leefde zeer met haar man en zijn werk mee, maar ze had meer aandacht voor personen dan voor abstracties. Geroddeld werd er weinig in huize Schermerhorn, maar geoordeeld wel. 'Voor mijn moeder viel je in de pul of erbuiten', drukt zoon Dirk het uit. Ze was uitgesproken in haar voor- en afkeuren, veel sterker dan Willem, bij wie de nuance meer was ontwikkeld. Ze deelden een rechtschapen directheid in hun oordeel, hierin geholpen door hun protestantse achtergrond. De Duitse bezettingsjaren waren voor haar, als voor zoveel andere Nederlanders van haar generatie, een moreel ijkpunt geworden. Wie ervan werd verdacht 'fout' te zijn geweest, kon bij haar op weinig genade rekenen.

Barbara was niet zo in politiek geïnteresseerd, had er zelfs een zekere aversie tegen. Ze was geen lid van een partij, zelfs niet van een van de vele vrouwenorganisaties die Nederland in deze jaren rijk was. Hoewel ze lid werd van de Partij van de Arbeid, was de Vrouwenbond van die partij niet aan haar besteed – ook al gold het automatisme dat ieder vrouwelijk lid van de partij tevens lid van de Vrouwenbond was. Onder het eten werd wel over politiek gesproken, al overheerste Willem, gezeten aan het hoofd van de tafel, de gesprekken. Zijn spreektoon was niet dominant, maar hij was wel breedsprakig. Bij deze gelegenheden hield Barbara zich meestal buiten de discussies. Gezeten naast haar man, luisterde ze wel aandachtig, zeggen haar kinderen. 'Je had niet de indruk dat het langs haar heenging.'

'Ze was een ideaal thuisfront', zegt zoon Dirk. 'Naar buiten toe maakte ze halt en front, en voor vader was ze zéér loyaal.' Toch waren er kleine verschillen in opvatting. Zo noemen haar kinderen haar 'linkser dan haar man'. 'Ze had meer oog voor de problemen van de individuele mensen.' Waar Willem vooral naar abstracties zocht en op-en-top ingenieur was, met een praktische instelling – zij het met duidelijke 'rooie' en christelijke sentimenten – zat Barbara dichter op de mens. Ondanks haar dienstbaarheid, had ze ook veel meer oog voor de positie van vrouwen dan Willem, die daar niets, maar dan ook helemaal niets mee had. De strijd voor de positie van de vrouw, in welke vorm dan ook, was een van Willems blinde vlekken. Nooit heeft hij zich erover uitgelaten, of de bestaande verhoudingen tussen de seksen in twijfel getrokken. In die zin was hij een ouderwets mens. De taakverdeling tussen mannen en vrouwen, maatschappelijk en in zijn eigen gezin, stond gebeiteld in stenen tafelen.

Barbara liet zich weinig voorstaan op haar positie van premiersvrouw. Hoewel de lokale middenstand haar met zekere egards behandelde, bleef ze zichzelf en behandelde niemand hooghartig. Voorrechten eiste ze niet op. Ook niet toen prinses Juliana en prins Bernhard op een avond bij de Schermerhorns thuis kwamen eten. Barbara, die niet zo'n keukenprinses was, toonde weinig opwinding over het uitzonderlijke bezoek. Ze besteedde hoogstens iets meer aandacht aan het eten dan gewoonlijk. Ze wist een fatsoenlijk stuk vlees te bemachtigen, maar, net als iedereen, mét bonnetjes. Veel politieke gasten kwamen in dat jaar niet over de vloer in Delft. Wel leidde Barbara, samen met To Drees, het clubje van ministersvrouwen, een nieuw fenomeen in het Haagse politieke leven.

De sociale verplichtingen van Barbara als premiersvrouw waren beperkt. Een enkele keer vergezelde Barbara haar man naar officiële gelegenheden, zoals Prinsjesdag en een incidenteel bezoek aan koningin Wilhelmina op Het Loo, waar Willem en Barbara ook bleven overnachten. De soberheid van de vorstin bleek die van Barbara te overtreffen. In de ijskoude nacht op het paleis haalde Barbara de schapenvacht van de vloer om haar en Willem warm te houden. Ze steunde haar man bij dit soort gelegenheden loyaal. En ze voelde zich zeker niet minderwaardig in de contacten met Schermerhorns collega's. Ze ging op een rustige manier met andere mensen om. Dit blijkt ook uit de foto's van de besprekingen tussen de Nederlandse regering en vertegenwoordigers van de Indonesische Republiek op de Hoge Veluwe, waar Barbara zeer ontspannen tussen de Indonesische delegatieleden verkeerde. Zoon Dirk, die ook mee was gekomen, herinnert zich: 'De Indonesiërs mochten haar wel, omdat ze niet pompeus deed en hen in hun waarde liet.'

In een interview vertelde Willem dat hij blij was dat ze in dat jaar weinig aan representatie hoefden te doen, 'iets waarvoor noch mijn vrouw noch ik in de wieg gelegd zijn'. Het eerste jaar na de oorlog was geen tijd van grote feesten en recepties. Nederland was op de bon, en in politiek Den Haag overheerste een sfeer van ingetogenheid en soberheid. Dit gold ook voor de informele contacten tussen de kabinetsleden. Hoewel de meeste ministers de doorbraakgedachte aanhingen en velen van hen zich in 1946 bij de Partij van de Arbeid zouden aansluiten, heerste er geen atmosfeer van verbroedering of kameraadschappelijke missiedrang. Ook in zijn omgang met zijn collega's liet Schermerhorn zich meer als bestuurder kennen dan als politicus.

Later zou hij vertellen dat hem bij zijn aftreden na de verkiezingen van mei 1946 vooral het afscheid van zijn secretariaatsmedewerkers zwaar was gevallen. De secretaris van de ministerraad Piet Sanders en zijn vrouw Iet werden goede vrienden van de Schermerhorns en waren regelmatig in Delft te gast. Verder werden slechts enkele kabinetsleden van de Partij van de Arbeid vrienden van de Schermerhorns, vooral Sicco Mansholt, die ook van het boerenbedrijf kwam. Met de andere ministers van zijn kabinet was de omgang afstandelijker. De katholieke minister van Binnenlandse Zaken, Louis Beel, bijvoorbeeld, was in huize Schermerhorn niet erg gezien: hij was niet alleen katholiek, hij gedroeg zich ook zo. Voor de rechttoe-rechtaan Schermerhorns behoorde hij tot zoiets als een andere diersoort. Erger, hij had ook fundamenteel andere opvattingen over de herordening van Nederland en over het Indonesisch conflict.

Schermerhorns kabinetsperiode eindigde in deceptie. De stroop van de Nederlandse structuren was te dik voor zijn vernieuwingsdrang. Schermerhorn straalde ook te weinig uit om grote indruk te maken. Veel mensen vonden zijn opvattingen vaag en zijn retoriek wollig. Bij de verkiezingen van mei 1946 trok de pas opgerichte Partij van de Arbeid – Schermerhorn was een van de negen (!) lijstaanvoerders – veel minder stemmen dan gehoopt. Tijdens de formatiebesprekingen manoeuvreerde Beel hem uit het rood-roomse kabinet. Barbara, die het vanuit haar Delftse fort gadesloeg, kon dit niet betreuren. Ze hoopte dat hij zijn hoogleraarsfunctie weer zou opnemen, maar kwam daarin bedrogen uit. Van rust was geen sprake. Binnen enkele maanden zat Willem op het vliegtuig naar Indonesië, als voorzitter van de commissie-generaal die de problemen met de Republiek van Soekarno moest oplossen.

Willem vertrok medio september. Barbara bleef aanvankelijk in Delft, waar ze voor haar zoon Dirk zorgde, maar ze kwamen allebei in oktober naar Batavia. Al na drie weken werd Dirk op het retourvliegtuig gezet, omdat er in Indië te veel risico's en te weinig onderwijsmogelijkheden waren. Voor Willem was Indië bekend terrein. Hij was er al voor de oorlog geweest, toen hij in opdracht van de Nederlands-Indische regering Nieuw-Guinea in kaart had gebracht. Maar Barbara voelde zich niet erg thuis in het tropische land met die merkwaardige koloniale cultuur.

Een van de weinige dingen die Willem in zijn dagboek uit zijn tijd in Indië over Barbara opmerkt, is dat zij 'onder de gang van zaken bitter heeft geleden'. Was deze opmerking een egocentrische projectie van zijn half mislukte missie? Niet helemaal. Barbara leefde in Batavia intens met haar echtgenoot mee en steunde hem in zijn opvattingen. Na het afketsen van het akkoord van Linggadjati werd de stemming jegens de Schermerhorns grimmiger. Barbara, die herhaaldelijk alleen in Batavia achterbleef als Willem naar Nederland was, fungeerde als zijn boodschapper, maar ontmoette veel vijandigheid. De relaties raakten zelfs zo verstoord dat Barbara op de dag voor haar vertrek het aanbod van luitenant-gouverneur-generaal Van Mook om haar op het vliegveld uit te zwaaien tactloos afwees.

Na terugkeer uit Indië nam Willem zijn plaats in de wetenschap weer in, maar hij bleef ook veel maatschappelijke functies vervullen. Bij de verkiezingen van mei 1946 was hij in de Tweede Kamer gekozen, een plaats die hij in 1951 inruilde voor een zetel in de Eerste Kamer. Het gezin was na het Indonesische avontuur naar Bilthoven verhuisd, waar zoon Dirk op de Werkplaats Kindergemeenschap van Kees Boeke zat. Dochter Lieneke: 'De jaren in Bilthoven waren de gelukkigste jaren uit haar leven.' De huiselijke taken van Barbara werden minder: ze had weer een meisje in dienst en ze was in haar vrije tijd steeds vaker in haar tuin te vinden.

Maar een intensief gezinsleven was er nog steeds niet. Door de week zat Willem in Delft, waar hij in 1951 het International Training Centre for Aerial Survey (ITC) oprichtte. Hij kwam alleen in het weekeinde thuis. Dat was voor Barbara het beste moment van de week. De kinderen kwamen met hun aanhang vaak naar Bilthoven, waar de familie de ganse zondagmiddag rond de tafel zat en over van alles en nog wat debatteerde. 'Koken kon ze niet', vertelt zoon Dirk, 'maar in deze jaren kwam er wel wijn op tafel en de gesprekken waren zeer geanimeerd.'

Willem trad in 1963 uit de Senaat en ging in 1964 met pensioen. In december 1966 verhuisden hij en Barbara naar een appartement in Haarlem. Hij overleed er in 1977. Barbara overleefde hem met negen, eenzame jaren. Opgesloten in haar 'vogelkooi', zoals ze de flat noemde, miste ze haar tuin erg. Ze zag bovendien twee zoons sterven – Teun in 1970 en Bob in 1983 – en haar schoonzoon Barend in 1985. Barbara overleed zelf op 7 januari 1986 na een kort ziekbed. Ze liet haar as naast die van haar man begraven, in het Noord-Hollandse Stompetoren, in Willems geboortegrond.

De stem van Barbara is verloren gegaan. Geen interview, geen correspondentie, nauwelijks een snipper papier is er van haar leven overgebleven. Zo ook niet van haar leven met de premier. Na Willems dood heeft ze bijna alle persoonlijke documenten vernietigd. Het ging niemand wat aan. Barbara beschouwde zich op geen moment als moeder van de natie. Ze zou het idee zeker als een hoogdravende abstractie van de hand hebben gewezen.

Barbara's aandeel in de nationale geschiedenis lijkt beperkt te zijn gebleven tot het pakken van Willems koffers. Haar eigen leven krijgt nauwelijks reliëf tegen het schelle licht van de nationale politiek, waarmee ze wel getrouwd was, maar waarin ze geen aandeel had. Willems voortdurende afwezigheid drukte zwaar op haar. 'Ze heeft hem veel vrijgespeeld', zegt Dirk. 'Ze kreeg bovendien erg weinig bevestiging, maar klaagde niet.' Haar kinderen noemden haar in de overlijdensadvertentie 'een dappere vrouw'. Ze had het fort moedig verdedigd.

Remco Raben

foto privé-bezit Lambert J. Giebels

Het gezin Beel, van links naar rechts: Margriet, Wiesje, Marijcke, kinderjuffrouw Annie Schutte, Jos, Louis en Jet

Jet Beel-van der Meulen (1895-1971)

Tragische keukenprinses

Recepten voor wentelteefjes en voor gebakken niertjes in maderasaus, verzameld in een plakboek. Het is de enige schriftelijk getuigenis die van Jet Beel is overgebleven. Haar echtgenoot Louis Beel (1902-1977) schermde zijn particuliere leven zorgvuldig af van alle publiciteit. Hij duldde geen pottenkijkers. Toen de weduwnaar zijn einde zag naderen, liet hij zijn huishoudster alle paperassen die op hem persoonlijk betrekking hadden verbranden. Zo zijn alle herinneringen aan zijn echtgenote verloren gegaan. Alleen het receptenboek is er nog. Het lag bij hun jongste dochter Marijcke.

Henrica Gerardina Maria Josepha (Jet) van der Meulen kwam uit Den Bosch, waar ze op 8 januari 1895 werd geboren. Ze was de vijfde uit een goedkatholiek gezin van drie jongens en vier meisjes – van wie twee kinderen spoedig na de geboorte overleden.

P.J.A. van der Meulen oefende in het hartje van de stad op de Pensmarkt het bedrijf uit van 'behanger, enz.'. Na zijn vroege dood in 1901 zette zijn kordate weduwe het bedrijf voort en ontwikkelde het met een van haar zoons tot een destijds bekende meubelzaak in Den Bosch. Van Jets jeugd is weinig meer bekend dan dat ze op veertienjarige leeftijd in de buurt van Antwerpen bij de nonnen op kostschool is geweest, waar ze een middelbare opleiding heeft gehad.

Meestal verschijnt de schoonmoeder in het leven van een man na de geliefde; bij het huwelijk van Louis Beel ging de schoonmoeder aan de echtgenote vooraf. De weduwe Louise van der Meulen, geboren Halewijn, werd op 3 september 1924 ingeschreven in het bevolkingsregister van Roermond, waar zij zich vestigde op de Willem II singel bij haar zoon, 'koopman in bouwmaterialen'. Aan de Willem II Singel woonde op dat moment ook Louis Beel, die geboren was in Roermond, waar zijn vader directeur van het slachthuis was geweest. Het gezin Beel was na de vroege dood van de ouders verstrooid geraakt. Louis woonde met zijn oudste zus nog in het ouderlijk huis aan de Willem II Singel. In april 1924 was hij als treinstudent rechten gaan studeren aan de pas opgerichte rooms-katholieke universiteit van Nijmegen.

Louis vatte naar zijn zeggen onmiddellijk sympathie op voor de moeder van Jet en maakte graag een praatje met haar. Tijdens een van zijn bezoeken aan de weduwe leerde Louis haar dochter Jet kennen, die verpleegster was in Den Bosch. Jet miste het kordate van haar moeder; ze was zachtaardig en bedeesd, eenzelfde type als Louis' moeder was geweest. Op 7 juli 1925 gaf Jet haar verpleegstersbaan op en verhuisde naar Roermond. Dit doet vermoeden dat Louis trouwbeloften had gedaan. Later vertelde hij aan een vertrouwelinge dat hij niet zonder aarzeling het huwelijk met Jet van der Meulen was aangegaan. Haar twee oudere, getrouwde zussen hadden beiden zwakzinnige kinderen gekregen en Louis besefte dat ook zij geestelijk gehandicapte kinderen konden krijgen. Vermoedelijk heeft Jets moeder, die erg ingenomen was met haar aanstaande schoonzoon, Louis over zijn aarzelingen heen geholpen.

Op 23 september 1926 werd het huwelijk ingezegend in de Sint-Pieterskerk in Den Bosch; de bruidegom was 24, de bruid 31. Het echtpaar maakte zijn huwelijksreis naar de chique Franse badplaats Biarritz en vestigde zich nadien in Zwolle, waar Louis na zijn kandidaatsexamen een baan had gekregen op de provinciale griffie van Overijssel. Weldra voegde Jets moeder zich bij het jonge paar. *Bonne-maman* zou tot haar dood in 1936 bij hen blijven inwonen en het huishouden bestieren; zij was, meer dan Jet, de gesprekspartner van Louis. In Zwolle werd op 12 januari 1928 het eerste kind geboren, Jos. De volgende stap in de ambtelijke carrière van Louis Beel voerde het gezin in 1929 naar Eindhoven, waar hij na zijn doctoraal hoofd Sociale Zaken van de gemeente werd. Het gezin woonde in een kleine villa van het type twee-onder-een-kap in de rustige Ruusbroeclaan in de wijk De Elzent in het centrum van de stad. Kort na de verhuizing werd de oudste dochter geboren; zij werd Wiesje genoemd. In 1933 en 1936 werden de twee jongste dochters geboren, Margriet en Marijcke. Na enige tijd bleek dat Jos en Wiesje geestelijk gehandicapt waren. Ze gingen eerst naar het Bijzonder Lager Onderwijs, maar dat bleek te hoog gegrepen; de kinderen waren zwakzinnig. Jet wilde haar twee oudsten niet naar een inrichting sturen. De belasting die dit voor het gezin betekende, werd aanvankelijk gedragen door *bonne-maman*. Na haar overlijden kwam een kinderjuffrouw in huis, Annie Schutte, die 'Juf' werd genoemd.

Louis Beel was een *workaholic* die zijn vrije tijd grotendeels besteedde aan zijn dissertatie. Soms wist Jet, die van romantische films hield, hem mee te tronen naar de bioscoop. Een zoon van de overburen, met wie de Beels bevriend waren geraakt, herinnerde zich dat ze wel eens een partijtje bridge met zijn ouders speelden. Jet was dan de partner van Louis, met dien verstande dat Louis zei wat ze moest bieden en welke kaart ze moest spelen en haar kaarten ter hand nam als hij zelf de dummy was. Meer en meer werd duidelijk dat Jet qua intelligentie verre de mindere was van haar man, en dat ze ver afstond van zijn intellectuele interesses. Haar belangstelling lag uitsluitend bij de huishoudelijke zaken. Louis kon, wanneer anderen erbij waren, niet altijd zijn ergernis onderdrukken over Jets onnozelheid. Hij begon zich terug te trekken in zijn werk op de secretarie en thuis op zijn studeerkamer. Alhoewel Louis Beel de verantwoordelijkheid voor zijn gezin – die hij primair in financiële termen zag – niet ontvluchtte, bemoeide hij zich nauwelijks met de gang van zaken thuis. Juf zorgde voor de kinderen en bestierde het huishouden, Jets domein was de keuken.

De bezettingstijd kreeg voor het gezin een dramatische wending door het ontslag van Louis Beel bij de gemeente. Omdat hij niet wilde dienen onder de NSB'er H. Pulles, die per 1 februari 1942 tot burgemeester van Eindhoven was benoemd, stond Louis op het punt zijn baan op te zeggen. Maar Jet bleek slecht opgewassen tegen de crisissituatie die daardoor ontstond. Op haar aandrang schreef Louis op 7 februari de burgemeester een brief waarin hij in plaats van ontslag te nemen 'zijn functie ter beschikking stelde'; het resultaat was dat hij ontslag kreeg. Louis Beel begon aan huis een adviesbureau voor bestuursrecht. Als medewerkster trok hij Mia Vlemmings aan; zij was de dochter van een Eindhovense garagehouder en had haar studie in Utrecht moeten onderbreken omdat ze de loyaliteitsverklaring niet wilde ondertekenen. Jet zou de vlotte, hoger opgeleide Mia, die ruim dertig jaar jonger was dan zij, in de komende jaren meer en meer als haar rivale gaan zien. Louis Beel was betrokken geraakt bij de voorbereiding van het *Dagblad Oost-Brabant*, dat na de oorlog het besmette *Dagblad van het Zuiden* zou vervangen. Na de invasie in 1944 ontving hij een waarschuwing dat de plannen voor de nieuwe krant waren uitgelekt. Louis meende blijkbaar dat zijn hele gezin gevaar liep. Alvorens hij onderdook werden de twee jongsten door Juf meegenomen naar haar ouderlijk huis in Rijssen in Overijssel. Louis stuurde Jet met Jos en Wiesje naar Jets zus in Den Bosch, waar ook het gezin van haar andere zus een onderkomen had gezocht. Jet voelde zich met haar twee oudsten bij haar zussen Bella en Jo en hun zwakzinnige kinderen het beste op haar gemak.

De bevrijding van Eindhoven op 18 september 1944 betekende voor Louis Beel het begin van zijn politieke carrière. Hij werd penvoerder van een groep vooraanstaanden die zich bezonnen op het naoorlogse beleid en die een advies naar Londen stuurden waarin zij erop aandrongen de verziekte partijpolitieke verhoudingen van voor de oorlog niet te doen herleven. Het advies belandde bij koningin Wilhelmina, die er precies zo over dacht. Zij wilde kennismaken met de auteur van het stuk.

Jet heeft in de wending die het leven van haar man daarna kreeg geen rol gespeeld, zo blijkt uit Louis' zakagenda van 1945 – die wonder boven wonder bewaard is gebleven.

Op 2 januari vloog Louis Beel van Brussel naar Londen, waar hij op woensdag 10 januari kennismaakte met de koningin op haar landgoed Mortimer. Kennelijk beantwoordde de bedaagde, kalende man aan Wilhelmina's beeld van een oorlogsheld en een vernieuwde Nederlander. De gewezen gemeenteambtenaar werd door haar als een trouwe vazal ingelijfd en naar Nederland teruggestuurd om in het bevrijde zuiden een delegatie van vernieuwde Nederlanders te formeren. Op 19 januari was Louis Beel terug in Eindhoven, waar hij thuis kwam in een leeg huis. Nergens uit zijn agenda blijkt dat Louis Jet in Den Bosch is gaan vertellen wat hem in Londen allemaal was overkomen. Hij had het kennelijk te druk met het formeren van de delegatie, die hij op 1 februari 1945 aan de koningin presenteerde in haar andere Londense buiten, Stubbings House. Wilhelmina bleek de delegatie ook als een zichtzending van potentiële ministerskandidaten te zien. Louis Beel werd op 23 februari minister van Binnenlandse Zaken. Hij kreeg een weekje de tijd om zijn zaken thuis te regelen. Terug in Eindhoven was een van de eerste dingen die hij deed, Mia Vlemmings vragen hem naar Londen te volgen. Pas op de 27e vermeldt de zakagenda een reis naar Den Bosch. Veel tijd kan hij niet hebben gehad voor Jet: 's ochtends had hij eerst een bespreking in Eindhoven, 's middags was hij op de provinciale griffie in Den Bosch en daags daarna moest hij voor een afspraak vroeg in Eindhoven zijn. Begin maart begeleidde de minister van Binnenlandse Zaken de koningin op haar triomftocht door het bevrijde zuiden, waarbij ook Den Bosch werd aangedaan. Heeft Louis daar Jet aan Hare Majesteit voorgesteld? – de agenda maakt er geen melding van. Toen in april Overijssel was bevrijd, zorgde Louis ervoor dat zijn dochters Margriet en Marijcke door een officier van het Militair Gezag naar Den Bosch werden gebracht. Marijcke heeft verteld dat zij en haar zus na al die maanden waarin ze vertrouwd waren geraakt met 'pa' en 'ma' Schutte er geen notie van hadden dat de vrouw aan wie ze in Den Bosch werden overgedragen hun moeder was, en dat de jongen en het meisje aan haar zijde hun broer en zus waren. Met zijn vijven keerden ze terug naar de Ruusbroeclaan, waar ook Juf zich weer bij hen voegde, maar zonder vader Beel, die het te druk had met zijn departement, dat verspreid was over Londen, Apeldoorn en Den Haag.

Louis Beel bleef minister van Binnenlandse Zaken in het kabinet-Schermerhorn/Drees dat na de bevrijding werd gevormd. En nog steeds stond Jet buiten zijn politieke carrière. Mia Vlemmings bleef zijn secretaresse. In juli 1945 verhuisde het gezin naar Wassenaar, waar ze aan de Rijksstraatweg een villa hadden gekocht, wederom van het type twee-onder-een-kap, maar ruimer van opzet en met een flinke tuin voor, opzij en achter, die aansloot op het fraaie landgoed Wittenburg. De kinderen voelden zich er meteen thuis, maar Jet miste de gezellige ambiance van de Ruusbroeclaan, waar je zo gemakkelijk contacten maakte in de buurt. Zij had voorlopig haar handen vol aan de inrichting van het nieuwe huis, waarin ze zich als dochter uit een meubelzaak kon uitleven. Jets smaak was wat ouderwets, maar degelijk en bovenal gericht op gezelligheid, met zware crapauds, pluchen gordijnen, taboeretten, schemerlampen en gemakkelijke zitjes – de Nederlandse krantenlezer kon ermee kennismaken toen een foto werd gepubliceerd van Beels befaamde Akkoord van Wassenaar dat in 1963 in Jets salon werd gesloten.

Tegen het einde van het kabinet-Schermerhorn/Drees verscheen een journalist in het leven van Louis Beel, Hans Hermans, parlementair redacteur van *De Maasbode*, die zijn politieke goeroe werd en weldra ook een huisvriend. Hermans lanceerde minister Beel als katholiek tegenwicht tegen de socialisatie van Nederland, waarop het kabinet leek aan te koersen. Bij de eerste naoorlogse Kamerverkiezingen op 17 mei 1946 kwam niet de 'doorbraakpartij', PvdA, maar de nieuwe Katholieke Volkspartij als overwinnaar uit de stembus. Louis Beel werd formateur en premier van een rooms-rode coalitie, die de grondslag legde voor het naoorlogse consensusbeleid – en waarvan het poldermodel een verre naklank vormt. Er is geen enkele aanwijzing te vinden dat Jet ook maar enige invloed heeft uitgeoefend op het functioneren van haar man als minister-president; dat was noch Beels wens, noch Jets ambitie. Zij vond als altijd haar taak in de keuken, terwijl Juf, die naar Wassenaar was meeverhuisd, voor de kinderen en het huishouden zorgde.

Hermans, die secretaris en *public relations*-man van de minister-president was geworden, vond dat zijn baas het publiek een kijkje moest geven in zijn dagelijkse leven. Het leverde fotoreportages op in tijdschriften als de *Katholieke Illustratie*, met Louis draaiend aan de knoppen van de radio, Jet in een bloemetjesjurk gezeten op de armleuning naast de minister-president en Margriet en Marijcke spelend in de tuin – de oudste twee werden buiten beeld gehouden. In het uitvoerige dagboek dat Hermans in die tijd heeft bijgehouden tekende hij ook observaties op van het gezinsleven van de Beels. Mia Vlemmings, die secretaresse bleef toen Louis Beel premier was geworden, was bij de Beels ingetrokken, omdat het bij de heersende woningnood moeilijk was een kamer in Den Haag te vinden. Jet ergerde zich groen en geel aan de astrante Mia, die in Londense nylons liep, terwijl zijzelf het nog steeds met slobberige katoenen oorlogskousen moest doen. Niet zelden zat de bezige Louis met Mia beneden tot diep in de nacht te werken, terwijl Jet zich boven in bed lag te verbijten. Het moest tot een uitbarsting komen. Op 3 oktober 1947 schreef Hermans in zijn dagboek: 'Ik heb gehoord dat zich ten huize van de premier een kleine paleisrevolutie heeft afgespeeld. Mia Vlemmings heeft een eigen kamer betrokken in Voorburg. De verhouding tusschen haar en Mevrouw Beel schijnt zich dermate te hebben toegespitst, dat een dergelijke "oplossing" niet langer te vermijden viel.'

Mia bleef Jets kwelgeest, maar Louis toonde geen enkele consideratie met zijn jaloerse vrouw. Na zijn premierschap werd Louis Beel op 3 november 1948 landvoogd in Indonesië. Hij betrok in Batavia het paleis aan het Koningsplein, waar voorheen de gouverneurs-generaal hadden gezeteld. Jet zou met de kinderen nakomen, ze was al ingeënt en had al een complete tropengarderobe besteld. Louis vond het echter in Indonesië te gevaarlijk voor zijn gezin. Wie hij wel meenam was Mia Vlemmings. Het roddelzieke Batavia grinnikte besmuikt over de landvoogd en zijn secretaresse, die zo intiem met elkaar leken. De tegenwoordige mevrouw Bodar-Vlemmings vertelde wat hun relatie in werkelijkheid inhield. Zij was voor Louis in de hoge ambten die hij te bekleden kreeg een vertrouwd rustpunt uit Eindhoven. Hij behandelde haar als zijn dochter en voelde zich ook verantwoordelijk voor haar. Toen zij een fijt aan haar rechterwijsvinger had, schreef Louis voor haar de wekelijkse brief aan haar ouders en vertelde daarin hoe ze samen, in eer en deugd, de avonden doorbrachten op het paleis, waar Louis Beel zich voelde als een kat in een vreemd pakhuis. Volgens mevrouw Bodar heeft zij op de landvoogd geen enkele invloed gehad; ze was louter zijn secretaresse.

De toenmalige fractievoorzitter van de PvdA in de Tweede Kamer, M. van der Goes van Naters, schreef in zijn memoires over Beel in Batavia: 'Ieder, die iets gezien heeft van de tragische huiselijke omstandigheden waarin het echtpaar Beel leefde, begrijpt zijn verlangen naar een – tijdelijke – vlucht. Hij wist dat het een vlucht was, hij heeft het mij ook zo uitgelegd.' Maar door Mia mee te nemen op zijn vlucht speelde Louis hoog spel. In de fantasie van Jet groeide de verre rivale uit tot een soort Madame de Pompadour onder de tropenzon. Jet begon haar nood te klagen, bijvoorbeeld bij de vroegere Eindhovense overburen, bij wie ze jammerde dat Louis gewoon gemeenteambtenaar had moeten blijven, dan was zij nu niet zo ongelukkig geworden. Hermans hoorde dat Jet haar man de wacht had aangezegd: 'Mia terug of ik ga weg!' Louis' jongste broer, de latere monseigneur Beel, en de pastoor van de parochie moesten eraan te pas komen om Jet van een echtscheidingsprocedure te weerhouden. Uiteindelijk schikte Jet zich in haar lot.

Na zes maanden Indonesië gaf Louis Beel er de brui aan, en keerde terug naar Nederland. Het huwelijk kwam in rustiger vaarwater. Louis werd hoogleraar in Nijmegen, waar hij met zijn gezin ging wonen. Op een staatsiefoto die gemaakt is van de soiree in het Casino van Den Bosch, na de diesrede die professor Beel op 9 november 1949 had uitgesproken, staat een ontspannen Jet te gloriëren naast Louis, te midden van de senaat van het Nijmeegse studentencorps. Toen minister van Binnenlandse Zaken J. van Maarseveen op 19 november 1951 kwam te overlijden, liet Louis Beel zich door Drees overhalen diens portefeuille over te nemen. Omdat het maar voor kort zou zijn, tot de verkiezingen van volgend jaar, bleef Jet met de kinderen in Nijmegen wonen en ging Louis in Den Haag op kamers. Het weekendhuwelijk bleek een goede oplossing voor het echtpaar. Het werd gecontinueerd toen Louis Beel minister bleef in het derde kabinet-Drees. In 1954 kon de spiegelbeeldwoning worden gekocht van het huis aan de Rijksstraatweg in Wassenaar, waar ze voorheen hadden gewoond. De verhuizing was de beslissing van Louis. Jet volgde hem met tegenzin van Nijmegen, met zijn warme zuidelijke ambiance, naar Wassenaar, met zijn kouwe kak.

Er kwam een nieuwe kinderjuffrouw in huis, de twintigjarige Ria Ruyg. Ze werd weldra de vertrouwde 'juffie' in huis, later 'juf' en zou tot de dood van Louis zijn huishoudster en huisgenote blijven. Ria was er vooral voor Jos en Wiesje, maar Jet liet algauw ook het huishouden aan deze kordate nieuwe juf over. Het huwelijksleven van Jet en Louis Beel en het politieke bestaan van Louis bleven twee volkomen gescheiden werelden. De ministersvrouwen van het derde kabinet-Drees hielden van tijd tot tijd hun eigen bijeenkomsten bij een van hen thuis. Zelfs daar hield Jet Beel zich buiten, aldus de echtgenote van minister Frans Jozef van Thiel. Een keer per jaar gingen Jet en Louis met de kinderen en juf op vakantie naar het jachtslot Sint-Hubertus op de Hoge Veluwe, dat eigendom was van het Rijk en onder meer als vakantieoord door ministers en hun gezinnen werd gebruikt. De Beels gingen bij voorkeur wanneer er geen andere ministersgezinnen logeerden. Dat was wegens Jet en voor Jos en Wiesje, vertelde Ria Ruyg.

Louis Beel werd in december 1958 nog een keer premier van een interim-kabinet, dat in mei 1959 zijn taak beëindigde; Jet komt nergens in beeld. Als een gezaghebbend politicus verdween Louis Beel daarna uit de politieke schijnwerpers naar de Raad van State, waarvan hij dertien jaar lang het vice-presidentschap zou bekleden. Na de Greet Hofmans-affaire was minister Beel niet meer alleen de vertrouwde politieke adviseur van koningin Juliana, maar ook een soort grootvizier aan het hof. In deze kwaliteit en door de wijze waarop hij achter de schermen politieke crises oploste en kabinetten formeerde, kreeg hij de status van een onderkoning. Aan Jet ging het allemaal voorbij. Zij was in plaats van Louis' levenspartner zijn beschermelinge geworden. Hij nam haar wel mee naar plechtigheden, zoals het banket bij het staatsbezoek van de Franse president René Coty en bij een jubileum van de Raad van State. Ook werd Jet wel eens als disgenoot uitgenodigd op paleis Soestdijk. Bij dit soort gelegenheden hield Louis Jet angstvallig onder zijn hoede, bang dat zij tafelgenoten zou bestoken met haar recepten of met de kunst van het mazen van kapotte sokken. Ria Ruyg werd naar haar zeggen door Jet meer en meer in de positie van vrouw des huizes gedrongen. Op aandrang van Jet dronk Ria met Louis een glas sherry, terwijl zij zelf in de keuken voor het avondmaal zorgde. 's Avonds scrabbelde Ria met Louis, terwijl Jet zich met een handwerkje onledig hield. En in tijden van kabinetsformaties, die de onderkoning goeddeels thuis afwerkte, was het Ria die de bezoekers ontving.

Eind jaren vijftig openbaarde zich bij Jet de ziekte van Alzheimer – toen nog gediagnosticeerd als *arteriosclerose*, aderverkalking in de hersenen. Het begon met vergeetachtigheid.

Zo vond de chauffeur Jets glacéhandschoenen, waarvan ze zeker wist dat zij ze in de auto had laten liggen, verkruimeld in de oven terug, naast de tulband die ze had gebakken. Het volgende stadium was vluchtgedrag. Ze verdween in het bos achter het huis, waar Ria haar weer uithaalde. Soms was Jet niet terug te vinden. Steevast dook zij dan op bij haar zussen in het vertrouwde Den Bosch. In 1965 was opname onvermijdelijk. Louis vond een onderkomen voor zijn vrouw in een verzorgingshuis van nonnen in het Oost-Brabantse Mill. Twee keer per week bezocht Louis haar daar, in de weekeinden met Marijcke, in de Daffodil die hij haar gegeven had. Ruim vijf jaar verbleef Jet in Mill. Ze werd steeds minder aanspreekbaar; vaak ook viel ze onhebbelijk uit tegen haar man en dochter en verweet hun dat ze haar altijd maar alleen lieten – een symptoom dat bij het ziektebeeld past. Niettemin bleef Louis de tochten naar het verre Mill maken. Was het boetedoening voor de veronachtzaming van Jet gedurende al die huwelijksjaren?

Op 3 februari 1971 overleed Jet Beel in Mill. Ze werd begraven in Wassenaar bij de parochiekerk De Goede Herder. Haar schoonbroer, de monseigneur, verzorgde de uitvaartmis. In zijn preek droeg hij met enkele goedbedoelde clichés Jets ziel op aan haar schepper, en vestigde de aandacht op Jets tragische leven: 'U weet hoe zeer ook het leed zeer diep zijn stempel heeft gedrukt op dit mensenleven.'

Lambert J. Giebels

foto privé-bezit familie Drees

To en Willem Drees

To Drees-Hent (1888-1974)

Stille kracht

Een klein gebaar van To Drees-Hent lokte in 1958 een fraai gedicht uit. Op een gala-avond bij een staatsbezoek, met alle pracht en praal die daar bij hoort, viel zij alleen op omdat ze niet met juwelen behangen was, niet een met diamanten bestikte jurk droeg. 'Zij stond daar maar zo heel gewoon', gehuld in een stola met een stippenmotief, haar haren in een simpel knotje. Wat deed deze eenvoudige vrouw te midden van royalty en adel? Toen maakte ze dat kleine gebaar:

> 'Want achter Drees, haar man, gekomen,
> zag zij ineens iets op zijn jas,
> dat schielijk diende weggenomen!
> Wat stof? Een haar? Sigarenas?
>
> En onder 't oog van de Vorstinnen
> en al de kijkers in het land,
> schoof even langs de kraag en 't rugpand
> een zachte, zorgvolle vrouwenhand.

En door de éne, kleine geste
maakte z'ons er zwijgend op attent:
wie of er staat in zorg en voorspoed
naast onze grijze president.

Een kracht die altijd steunend, zorgend,
hem juist in 't *alledaagse* sterkt,
om de verantwoording te dragen
van zijn onnoemlijk zware werk!'

Catharina Hent, roepnaam To, werd in Amsterdam geboren op 6 mei 1888. Ze was het vijfde kind in een gezin met twee jongens en vier meisjes. Sociaal gezien behoorde het gezin van Jan Abram Hent en Adriana van der Sluis tot de kleine burgerij, in godsdienstig opzicht tot de meer vrijzinnige vleugel van de Nederlandse Hervormde Kerk. Vader Hent was aanspreker van beroep ('kraai' in de volksmond) en 'loper' van een verzekeringsmaatschappij. Hij had moderne opvattingen en vond dat zijn dochters een beroep moesten leren, ook al lag een huwelijk en een bestaan als moeder en huisvrouw in het verschiet. To wilde graag onderwijzeres worden, net als haar zusters en net als haar hartsvriendin Bets Drees.

To leerde Bets kennen op de lagere school. Ze werden onafscheidelijke vriendinnen. Samen gingen ze naar de kweekschool en samen werden ze lid van zowel de stenografieclub als de korfbalclub die Bets' oudere broer Willem had opgericht. Zo leerde To de twee jaar oudere Willem kennen. Toen Willem in 1907 een vaste aanstelling als parlementsstenograaf kreeg, vroeg hij To ten huwelijk. Het zou nog drie jaar duren voor ze konden trouwen, want eerst moest er gespaard worden. To werkte in die tijd als invalleerkracht op verschillende Amsterdamse scholen, Willem zat in Den Haag als de Kamers vergaderden. Door de week schreven ze elkaar lange brieven, in steno, want ook To was gewonnen voor het ideaal van de 'stenografie voor iedereen'. In het weekend zagen ze elkaar in Amsterdam, wandelden of fietsten samen en speelden natuurlijk korfbal op zondag.

Na hun huwelijk, in juli 1910, gingen To en Willem Drees in Den Haag wonen. Willem stortte zich op de politiek en maakte daarin snel carrière: in 1911 werd hij voorzitter van de Haagse afdeling van de SDAP (de voorloper van de PvdA) en in 1913 nam hij plaats in de Haagse gemeenteraad. Van 1919 tot 1933 was hij wethouder, vanaf 1933 lid van de Tweede Kamer. Daarnaast vervulde hij vele andere functies in besturen en commissies. Zijn drukke leven had tot gevolg dat To vaak alleen thuis zat, ook 's avonds. Daarmee had ze het soms moeilijk, vooral in de beginjaren, toen ze haar Amsterdamse vrienden en familie sterk miste. Maar ze was trots op haar Wim en leefde volop met hem mee, want zijn idealen waren ook de hare geworden. In hun verlovingstijd had ze zich al aangesloten bij de SDAP en kort na haar huwelijk werd ze, net als Willem, lid van de 'rode' drankbestrijdersorganisatie. Ook zij verliet de kerk, zij het enige tijd later dan haar man. Anders dan hij had zij nog wel op haar achttiende de geloofsbelijdenis afgelegd.

Toen To trouwde, stopte ze met werken. Haar taken lagen voortaan in huis. Het huishouden kostte in die jaren nu eenmaal veel tijd – ook al kreeg To hulp van een dienstmeisje – en bovendien kwamen er al gauw kinderen. Het echtpaar Drees-Hent kreeg er vier. Twee dochters, Annie (1911) en Adri (1914) en twee zoons, Jan (1919) en Wim (1922). Adri werd niet oud: zij overleed in 1920 op zesjarige leeftijd aan de gevolgen van de Spaanse griep. Ze was de oogappel van haar ouders, en haar dood betekende een schrijnend verlies. To en Willem Drees vonden toch weer de kracht om de draad op te pakken. Over hun verlies spraken ze niet, althans niet naar buiten toe.

To bleef haar hele leven iets van een onderwijzeres houden, al stond ze maar drie jaar voor de klas. De kinderen Drees gingen niet naar de kleuterschool: hun moeder leerde hun thuis knutselen, knippen en vlechten. Toen de kinderen naar school gingen, hielp vooral To hen met het huiswerk. Zij leerde hun ook stenografie – ze was gediplomeerd steno-onderwijzeres – maar alleen Jan zou het schrift net als zijn ouders zijn hele leven gebruiken. Belangstelling voor muziek kregen de kinderen van hun moeder mee (hun vader was volstrekt a-muzikaal). To speelde piano en zong graag. Ze hield ook veel van de natuur. Op de kweekschool had ze les gekregen van de bekende bioloog Jac. P. Thijsse. Haar liefde voor de natuur droeg ze over op sommige van de kinderen en de kleinkinderen: twee kleindochters, Marijke en Erica, zouden bioloog worden.

Met de taakverdeling in het gezin was To tevreden. Haar zoon Wim zei later: ‘Moeder had warme belangstelling voor de maatschappij, maar haar meeste aandacht richtte zij op haar onmiddellijke omgeving, op gezin, familie, vrienden, kinderen in de buurt.’ Ze was lid van verschillende organisaties in de sociaal-democratische beweging, maar had niet de ambitie daarin actief te zijn. Het gaf haar voldoening dat ze haar man in staat kon stellen zich volledig op zijn werkzaamheden te concentreren. Wel vond ze het prettig te horen dat de partij het waardeerde dat ze altijd maar ‘haar man afstond', zoals bleek bij het afscheid van Drees als voorzitter van de Haagse partij in 1931. To schreef daarover aan haar schoonfamilie in Amsterdam: 'Ik heb zelf wel eens 't gevoel gehad dat vele, zoo ijverig werkende vrouwen 't veroordeelden dat ik maar thuis bleef, maar nu bijvoorbeeld van de voorzitster van de [Sociaal-Democratische] Vrouwenclub te hooren, dat ze begreep dat niet beiden thuis gemist konden worden, dat was heerlijk voor me. Ik zou absoluut ongeschikt zijn voor 't belangrijke werk in de beweging en Wim juist zoo bijzonder.'

Later, toen de kinderen groot waren, was ze jarenlang bestuurslid van de vereniging 'Licht, Liefde, Leven' die zich inzette voor huishoud- en nijverheidsonderwijs aan meisjes.

De bezettingstijd was zwaar voor To. Al in oktober 1940 werd haar man als gijzelaar geïnterneerd in het concentratiekamp Buchenwald. Hoezeer haar kinderen, familie en vrienden haar ook steunden, To miste haar Wim heel erg. Ze mocht hem maar één brief per maand schrijven, waarin ze bewust een opgewekte toon aansloeg. Daarnaast schreef ze hem brieven die ze niet verstuurde, 'een beetje bij wijze van dagboek.' In die dagboekbrieven kon ze haar gevoelens beter kwijt, behalve liefde en hoop ook vrees en twijfel. 'We missen je zo erg... En stuk voor stuk hebben we je zó nodig, maar ik toch het meest.' Na een jaar werd Drees om gezondheidsredenen vrijgelaten. In mei 1942 werd hij opnieuw opgepakt, tot grote schrik van zijn familie, maar toen kwam hij al na een week thuis.

Vanaf 1943 groeiden de zorgen van To. Ze moest haar huis verlaten en met haar gezin intrekken bij een vreemde familie in Voorburg, toen de Duitsers in de kuststrook de

Atlantikwall aanlegden. Ze zat in angst om haar zoons, die in het verzet actief waren, vooral toen Wim jr. gevangen zat in kamp Vught (hij werd gelukkig na enige weken weer vrijgelaten wegens gebrek aan bewijs). Drees raakte in toenemende mate betrokken bij ondergronds politiek overleg en bij de coördinatie van het verzet. Uit vrees voor arrestatie leefde hij vanaf april 1943 half ondergedoken in Amsterdam; slechts af en toe kwam hij thuis. Zorgen had To ten slotte ook om haar alleenstaande zuster Jaan, met wie ze een sterke band had. Jaan kreeg een zenuwinzinking en moest in een inrichting opgenomen worden. To had haar graag in huis genomen, maar dat was onder de gegeven omstandigheden niet mogelijk. De spanningen werden ook haar bijna te veel.

Ondanks al haar zorgen hield ze zich flink in deze jaren. Ze stond haar persoonsbewijs af ten behoeve van een onderduiker en gaf het 'verlies' niet aan bij de autoriteiten om te voorkomen dat het nummer geregistreerd werd. Maandenlang ging ze zonder papieren over straat en zag ze af van reizen per trein. En zelfs in de beperkte woonruimte in Voorburg verleende To onderdak aan vrienden van Jan of Wim, die vanwege razzia's enkele nachten hun huis moesten ontvluchten.

In Buchenwald had Drees, terugkijkend op zijn leven, beseft dat hij misschien te weinig thuis was geweest en daardoor zijn vrouw en kinderen tekort had gedaan. Hij nam zich voor om zijn leven anders in te richten als de oorlog eenmaal voorbij zou zijn. Maar daarvan kwam weinig terecht. Hij werd minister van Sociale Zaken en vice-premier in de eerste naoorlogse kabinetten (1945-1948) en was daarna ruim tien jaar minister-president (1948-1958). To moest haar man opnieuw afstaan aan de gemeenschap.

Drees had het in de eerste jaren na de bevrijding drukker dan ooit. 'Zo erg als nu is het nooit geweest', schreef To in augustus 1945 aan familie, 'Ik moet op mijn *qui-vive* zijn als ik hem ook eens even spreken wil!' Vakantie zat er de eerste vier jaar niet in, afgezien van enkele dagen op de Hoge Veluwe. To zelf had ook het nodige om handen: ze nam haar zus Jaan in huis toen het gezin Drees een grotere woning aan de Beeklaan betrok. Ook na haar herstel woonde Jaan daar nog jarenlang. Van de kinderen Drees bleef Jan, die nooit zou trouwen, in het ouderlijk huis. To's gezin telde in de naoorlogse jaren dus nog altijd vier leden.

Meer dan voor de oorlog had het werk van haar man directe gevolgen voor To's eigen leven. In de eerste plaats waren er de vele representatieve plichten die zij als vrouw van de premier te vervullen had en die veel van haar tijd in beslag namen. De recepties en diners, vaak met buitenlandse gasten, brachten haar in een wereld waarmee ze niet erg vertrouwd was. Meer dan voorheen was er bovendien bij de pers en het publiek belangstelling voor haar man en ook voor haar. Die aandacht was overwegend positief – Drees was een populaire minister-president – maar soms ook niet. Er vloog een keer een steen door de ruit van het huis aan de Beeklaan en van de weinige dreigbrieven die Drees ontving, was er een gericht aan To.

Bij dat alles bleef To zichzelf. Hartelijk in de persoonlijke contacten, altijd belangstellend en behulpzaam. In het moeilijke eerste jaar na de bevrijding gaf ze samen met Barbara Schermerhorn leiding aan de groep ministersvrouwen die regelmatig bijeenkwam. Ze zette die traditie in latere jaren voort. Soms was ze de jongere vrouwen tot steun (zo hielp ze Truus Cals in de jaren vijftig door een moeilijke periode heen). Naar buiten toe bleef To bescheiden en eenvoudig, ze trad liever niet op de voorgrond. Deze eenvoud werd door anderen gewaardeerd. Toos Kranenburg, de vrouw van een PvdA-politicus, schreef aan haar: 'In de afgelopen jaren heb ik zoveel lege ijdelheid gezien, zoveel gehol en gedraaf van vrouwen die zich blind turen op de franje van het vak van haar mannen, dat jouw voorbeeld mij altijd weldadig aangedaan heeft.' Een andere partijgenote prees To om haar eenvoud en noemde haar het toonbeeld van een echte socialiste.

Verzoeken om interviews, bijvoorbeeld van damesbladen, wimpelde ze steevast af. Aan de *Margriet* schreef ze in antwoord op zo'n verzoek: 'Ik heb sedert mijn man minister-president is, verscheidene vragen in die richting ontvangen, maar me altijd op het standpunt gesteld, dat ik beter doe geen interviews te geven. Het gaat dan immer óf over het werk van mijn man óf over meer intieme huiselijke bijzonderheden.'

Ook Drees, die wel de pers te woord stond, schermde zorgvuldig zijn privé-leven af. Soms ontving hij journalisten thuis op de Beeklaan. To bracht dan een kopje koffie of thee, maar ging verder haar eigen gang. De journalist die naar haar vroeg kon uiteindelijk niet meer noteren dan: 'Mevrouw is zeer geïnteresseerd in het leven en werk van haar man.'

Alleen intimi kwamen te weten hoe sterk To meeleefde met de politieke ontwikkelingen en hoe krachtig haar opvattingen waren. Dat blijkt uit de condoleancebrieven die Drees na haar overlijden ontving. 'Haar grote bescheidenheid en eenvoud deden haar nooit op de voorgrond treden', schreef Henny Mansholt, die jarenlang deel uitmaakte van de club ministersvrouwen, 'maar degenen die haar goed kenden, wisten welk een grote persoonlijkheid zij was.' Het moet bezoekende politici hebben verbaasd dat To, die zich in het openbaar zo op de vlakte hield, in privé-gesprekken vurig kon spreken over zaken of gebeurtenissen die haar raakten. PvdA-politicus Ivo Samkalden schreef: 'Zó hebben we haar ook het beste gekend. Sterk geïnteresseerd in de politiek die een tijd lang ons gemeenschappelijk werk was. Soms sneller en feller reagerend dan jij, maar altijd vanuit hele warme en hele oprechte gevoelens.'

Van To's optreden in het openbaar getuigen alleen krantenfoto's. We zien haar aan de zijde van haar man bij tal van meer of minder officiële gelegenheden: recepties, diners en staatsbanketten, internationale sportwedstrijden, een vliegshow (naast haar man gezeten onder één regenjas), feestelijke openingen en onthullingen, een bezoek aan de staatsmijnen (beiden in mijnwerkerspak met helm en lamp), boekenbals, filmpremières, enzovoort. Ze stond niet graag in de schijnwerpers en als het even niet hoefde, dan was ze er liever niet bij. Zo ging ze meestal niet tegelijk met haar man stemmen, omdat er altijd wel fotografen waren die het plaatje wilden schieten van de premier die keurig zijn beurt afwachtte in de rij voor het stemlokaal.

Een 'Bekende Nederlander' is To nooit geworden en zo wilde ze het ook. Door haar onopvallende verschijning werd ze vaak niet herkend. Toen Drees in 1958 aftrad, kreeg hij de allerhoogste onderscheiding, het Grootkruis in de Orde van de Nederlandse Leeuw, door koningin Juliana persoonlijk opgespeld. Het draagteken voor op de revers zou hij, zoals iedere gedecoreerde, zelf moeten aanschaffen in een chique winkel op de Haagse Kneuterdijk. To ging daarheen en vroeg om het draagteken van het Grootkruis, voor haar echtgenoot. De man achter de balie keek haar even aan en zei: 'Mevrouw, ik geloof dat u zich vergist en dat uw man vast een andere onderscheiding heeft gekregen. Het Grootkruis Nederlandse Leeuw is de hoogste onderscheiding die we kennen, oud-premier Drees heeft die onlangs gekregen.'

Willem en To Drees hielden niet van officiële ontvangsten met bijbehorende banketten. Hij leed aan een maagkwaal die juist bij langdurig tafelen kon opspelen. Zij sprak wel goed Frans, maar nauwelijks Engels (wat voor velen van haar generatie gold). Om zich beter te kunnen redden, nam ze Engelse conversatieles, maar ze bleef erg onzeker over haar beheersing van die taal. Beiden hadden niet veel op met het uiterlijk vertoon waarmee deze gelegenheden nu eenmaal gepaard gaan. Bij officiële ontvangsten maakte het paar gebruik van grote restaurants als het Kurhaus in Scheveningen en De Wittebrug in Den Haag of een enkele keer van de Trêveszaal op het Binnenhof. Er was wel eens sprake van een ambtswoning voor de minister-president, maar Drees en zijn vrouw voelden daar niets voor. In een interview achteraf zei hij daarover: 'We zijn geen mensen voor praal en zo ging het toch ook.'

Hoge buitenlandse gasten werden in principe niet ontvangen op de Beeklaan. De uitzondering op die regel was het onverwachte bezoek van Amerikaanse Marshallplan-*officials*, die volgens de bekende anekdote in huize Drees werden onthaald op thee met een mariakaakje. Het ministerie van Algemene Zaken, waar Drees deze bezoekers normaal ontvangen zou hebben, was op dat moment gesloten. De Amerikanen zullen ongetwijfeld onder de indruk zijn geweest van de eenvoudige woning van de Nederlandse premier. Maar anders dan de anekdote wil, heeft het bezoek niets uitgemaakt voor de hoogte van de Marshallhulp, want die hulp ontving Nederland al enkele jaren. En dat maria-kaakje? Dat is een van de mythische 'smakelijke details' die gaandeweg de anekdote binnenslopen om de eenvoud van huize Drees extra te benadrukken. To zal wel wat beters in huis hebben gehad, want ze was een veel te goede gastvrouw om zich te laten verrassen door onverwacht bezoek.

Een enkele keer vergezelde To haar man op een buitenlandse reis. Veel reizen maakte de minister-president in deze periode overigens niet: de rol van de premier in de buitenlandse politiek was minder groot dan tegenwoordig het geval is. Drees maakte drie verre reizen: Indonesië in 1949, de Verenigde Staten in 1952 en Zuid-Afrika in 1953. Alleen bij de laatste reis ging To mee. Van een bezoek aan Amerika zag ze af vooral vanwege haar matige beheersing van het Engels. In Zuid-Afrika speelde het taalprobleem minder en bovendien betrof het geen officieel bezoek, al was het paar uitgenodigd door de Zuid-Afrikaanse regering. Drees en zijn vrouw zouden ontvangsten en andere plechtigheden niet uit de weg gaan, maar reisden verder het liefst als gewone toeristen door het land.

Als het even kon geen poespas en zeker geen voorkeursbehandeling – dat hadden To en Willem Drees graag. Ze stonden daarin niet alleen; To vertelde graag een anekdote die dat treffend illustreert. In 1954 zou koningin Juliana bij de Afsluitdijk een standbeeld van Cornelis Lely onthullen. Het echtpaar Drees vloog per helikopter naar Soestdijk om vandaar met de koningin verder te reizen. In de helikopter was speciaal voor de koningin een comfortabele stoel geplaatst, maar die wilde daar niet gaan zitten: zij vond dat To, als oudere dame, daarop zou moeten plaatsnemen. To weigerde beslist, die stoel was natuurlijk voor de koningin! Omdat geen van beide dames wilde toegeven en de helikopter toch een keer moest vertrekken, loste baron Baud uiteindelijk de zaak op door zelf maar in de stoel te gaan zitten. Het verhaal typeert niet alleen koningin Juliana maar ook To Drees: enerzijds te bescheiden om op de stoel van de koningin te gaan zitten, anderzijds zo vastberaden om het aandringen van de vorstin te weerstaan.

In december 1958 viel Drees' vierde kabinet. Hij verliet daarop de actieve politiek. Eindelijk thuis, eindelijk rust. Hij was inmiddels 72 jaar oud, To twee jaar jonger. Nu was er meer tijd voor vakantie in binnen- en buitenland, voor wandelingen in de natuur en voor samenzijn met de familie, die ondertussen was uitgebreid met zes kleinkinderen.

De rust was relatief. Drees bleef actief in het partijbestuur van de PvdA en speelde ook nog een rol bij de verkiezingen. Verder schreef hij boeken en artikelen, en hield hij radiopraatjes en lezingen. Maar in de loop der jaren gingen zijn gehoor en zijn gezichtsvermogen achteruit. Vanaf 1966 kon hij daardoor niet meer de vergaderingen van het partijbestuur bijwonen. Lezen ging ook moeilijker, en daarbij schoot To te hulp. Ze las hem alles voor, de ingekomen post, kranten en boeken. Bij het schrijven was Jan behulpzaam: hij kon Drees' steeds meer op gevoel geschreven steno goed ontcijferen en hij typte de brieven of artikelen van zijn vader uit. Met hun hulp kon Drees de politieke ontwikkelingen in het land en in zijn partij blijven volgen. En zijn commentaar kon hij kwijt aan de journalisten die over de vloer bleven komen om 'het orakel van de Beeklaan' te interviewen.

Vooral de gang van zaken binnen de PvdA baarde Drees zorgen: de opkomst van Nieuw Links, de polarisatiegedachte en de verregaande samenwerking met andere progressieve partijen (wat in Drees' ogen neerkwam op een verwatering van de eigen socialistische identiteit). In 1971 verliet Drees de PvdA; zijn opzegging gold tegelijk voor To. Het viel hen beiden zwaar: hij was 67 jaar lid geweest van de sociaal-democratische partij, zij 62 jaar. Anders dan Drees, die partijloos zou blijven, sloot To zich aan bij DS'70, de partij waarin haar beide zoons actief waren.

Het uittreden van Drees leidde tot veel negatieve reacties van voormalige partijgenoten die zich uitleefden in boze brieven of bittere ingezonden stukken in *Het Vrije Volk*. Drees zou de partij hebben verraden waaraan hij juist zoveel te danken had gehad, hij was al jarenlang geen echte socialist meer, hij was een 'stiekem mannetje', enzovoort. Deze beschuldigingen kwamen vooral bij To hard aan. De klap die ze hiervan kreeg, kwam ze moeilijk te boven.

Haar laatste levensjaren kampte ze met een zwakke gezondheid en een verminderde geestkracht. Het leek juist weer wat beter te gaan toen ze op 30 januari 1974 plotseling overleed aan een hartstilstand. To werd 85 jaar oud. Haar man zou veertien jaar weduwnaar zijn.

De kranten meldden het overlijden van To met een kort berichtje. Maar ze was in 1958 al geëerd met het gedicht over dat ene, veelzeggende gebaar. Volgens de partijgenote die het schreef, was het zelfs een symbolisch gebaar.

'Omdat er achter vele werkers
vaak van die stille vrouwen staan'

Jelle Gaemers

foto Spaarnestad Fotoarchief / Anefo

Jan en Maria de Quay, tussen hen in zoon Maas

Maria de Quay-van der Lande (1901-1988)

Trouwe bondgenote

Achtenvijftig jaar duurde het huwelijk van Maria van der Lande (Diepenveen, 29 augustus 1901) en de drie dagen oudere Jan de Quay, en als Maria's vader destijds inschikkelijker was geweest, hadden ze hun zestigjarige bruiloft nog ruimschoots gehaald. Jan van der Lande, een steile katholiek uit Deventer, die de meelfabriek van zijn vader had uitgebouwd tot de bloeiende farmaceutische onderneming Noury & Van der Lande, zag niets in het 'soldaatje' De Quay als aanstaande echtgenoot voor Maria. Dat dat soldaatje stamde uit een aanzienlijk en goedkatholiek patriciërs- en officierengeslacht, en dat Jans vader tussen 1914 en 1922 militair attaché aan de Nederlandse ambassade in Parijs was, het maakte geen indruk op Maria's vader. Dus hield Maria de liefde vijf jaar lang geheim.

Vader Jan had dat kunnen weten, want Maria Huberta Wilhelmina, zijn achtste van twaalf kinderen, kon een dwarse tante zijn. Zelf noemde ze dat 'agressief'. De nonnen op de lagere school konden haar niet aan en daarom moest ze naar een katholieke kostschool in Amersfoort. Ze was een wild buitenkind, dat het liefste ravotte in Park Braband, de

Schalkhaarse zomerresidentie van het gezin. Later betrok de familie de kapitale villa Waalheuvel in Ubbergen bij Nijmegen, waar moeder Annie Jansen de blote engeltjes op het plafond van de eetzaal van kuise luiertjes liet voorzien.

Maria kreeg haar vervolgopleiding op het katholieke Meisjeslyceum in Den Haag. Het behalen van haar einddiploma bestempelde ze als 'een verlossing'. Toch wilde ze doorstuderen. Arts zou ze worden, net als grootvader Jansen in Schiedam, telg uit het jenevergeslacht Kabouter. In het familieboekje dat Maria samen met Jan bij hun vijftigjarig huwelijk schreef noteerde ze: 'In die tijd was het nog uitzonderlijk als een meisje ging studeren, en dit werd zeker niet door de Nijmeegse omgeving geapprecieerd. Weer zoiets wat mijn agressiviteit opwekte.'

Van de vrijheid in Utrecht genoot de prille studente met volle teugen en het werd nóg leuker toen ze daar de liefde van haar leven tegenkwam: Jan Eduard de Quay, als tweedejaars student vooral druk met feesten. In de katholieke studentenvereniging Veritas viel hem meteen dat slanke meisje op met haar blonde haar en 'wat brutale' ogen. Zonder nadere introductie complimenteerde zij hem met zijn voordracht van een gedicht. Jan beet gebruuskeerd van zich af. Zij vond hem een eigenwijs mannetje. Toch zochten ze sindsdien elkaars gezelschap vaker op. En toen Veritas in 1922 het toneelstuk *De Nar* van Kees Mekel ging opvoeren, vroeg regisseur Frank Luns Maria als de hertogin en Jan als de nar. Zo begon de romance. De nar stierf in de armen van de hertogin, die een kuise kus op zijn voorhoofd drukte. Publiek en pers waren enthousiast. De grote acteur Eduard Verkade vroeg Jan de Quay zelfs voor zijn Haagse Comedie, maar Jan sloeg het aanbod af. Vader en moeder Van der

Lande, die uit protest tegen Maria's toneeldebuut waren thuisgebleven, vernamen van Eerste-Kamerlid Van Basten Batenburg dat er iets gaande was tussen de twee acteurs. Maria kreeg het consigne te breken met die soldatenzoon, die geen fabrikant was, geen zakelijk inzicht had en niks had gepresteerd.

De soldatenzoon moest in dienst, en vanuit Ede schreef hij zijn hertogin dat de nar niet dood en begraven was, en nog steeds aan haar dacht. Zij reisde meteen naar hem toe en op het eerste perron van station Ede wisselden zij hun eerste echte kus. Daarna begonnen zij een geheime correspondentie. Als cadeau voor haar twintigste verjaardag vroeg Maria aan haar vader toestemming voor een verloving, die ze niet kreeg.

Om een gebaar te maken brak Maria haar studie af en ging naar de School voor Maatschappelijk Werk in Amsterdam. In de praktijk blonk ze uit, de boeken boeiden haar minder (maar de studie maakte ze keurig af). Veel liever zwierf ze hand in hand met haar geheime liefde langs de grachten. Jan was somber gestemd. De rechtenstudie trok hem niet. Maria zette hem op een nieuw spoor: waarom ging hij geen psychologie doen, een splinternieuwe studierichting? Een gouden advies, want Jan maakte later in dat vak een mooie carrière.

Pa Van der Lande draaide bij. Jan mocht op zicht komen in Ubbergen, waar zijn aanstaande schoonvader zakelijk sprak: 'Psychologie is een stom vak, maar je hebt het monopolie.' Maria kon bij háár schoonouders geen kwaad doen. Bij haar entree in Ulvenhout viel ze languit over de drempel. 'Dat met de deur in huis vallen heeft ze altijd gehouden', schreef haar man.

Na een luisterrijk huwelijk op Waalheuvel, ingezegend door de internuntius mgr. Schioppa en een korte huwelijksreis naar Bretagne vertrok het jonge stel voor vier maanden naar de Verenigde Staten. Van der Lande bekostigde deze studiereis. Jan volgde colleges op Harvard, Yale, Princeton en Columbia en doceerde in Chicago en Columbia. Bij bedrijven als Bell Telephone, Sears en Eastman Kodak leerde hij veel over het wezen van de Amerikaanse bedrijfsorganisatie. Terug in Utrecht werkte Jan voor de PTT, adviesbureau Lauwerse en Berenschot en C&A. Maria baarde in 1928 de eerste van negen kinderen. Eerst kwam Rudolph, anderhalf jaar later Miebeth. Vader Van der Lande kocht voor het jonge gezin een chique woning aan de Utrechtse Maliestraat, waar in 1931 Rutger en in 1932 Hanneke werden geboren.

Op zekere dag werd Jan ontboden door de aartsbisschop van Utrecht. Jan schrok: 'Ik begreep niet waarom. Wij gingen elke zondag naar de kerk, we aten vrijdags vis en de kinderen waren alle vier gedoopt.' Maar monseigneur Jansen vroeg hem slechts of hij commissaris van de katholieke verkenners in het aartsbisdom wilde worden. Jan was zo opgelucht, dat hij toestemde. Zonder eerst met Maria overlegd te hebben, zoals hij altijd deed. Maria's mening was belangrijk voor hem. Met haar praktische instelling en haar nuchtere verstand liet ze kwesties nooit tot problemen uitgroeien. Híj had nogal eens last van twijfels, omdat hij zich goed in anderen kon inleven. Haar richtsnoer was het geweten: als dat zegt dat je iets moet doen of laten, moet je daarnaar luisteren. En Jan luisterde. Zijn vrouw volgde hem waarheen dat geweten hem riep.

Dat bracht haar in 1933 naar Tilburg, waar Jan, inmiddels

gepromoveerd, was gevraagd als hoogleraar in de psychotechniek. De bevriende architect Willem Maas ontwierp een nieuw huis. Jan aan zijn kinderen: 'Onder dat ontwerp had net zo goed Moeder kunnen staan.' Een modern groot huis was het, met als middelpunt een grote kinder- annex babykamer. Daar werd in 1934 Cas geboren, in 1936 Lydwien en in 1938 Jan. En Fien Klerks kwam in hun leven: een dienstmeisje van twaalf uit een 'goed weversgezin', dat 32 jaar lang deel van het gezin zou uitmaken.

Het was een bruisend huishouden: altijd volle bak met vriendjes en vriendinnetjes, er werd toneel gespeeld en muziek gemaakt, en Maria stelde krentenbollenavonden in: alle kinderen zaten na het zaterdagbad om de grote ronde tafel met warme chocolademelk en grote hoeveelheden krentenbollen. Moeder las voor uit Bolke de Beer, Pinokkio, Niels Holgersson of Jodie het hertenjong, aangevuld met eigen fantasieverhalen.

Een 'lieve' knuffelmoeder was ze niet. Dat paste niet bij haar stoere Sallandse aard. Jan, de zuiderling, was aanhaliger dan zij. Haar stijl was: niet zeuren, maar aanpakken. Sommige vriendjes van de kinderen waren beducht voor haar, en ook de kinderen zelf voelden zich soms overvleugeld door haar sterke persoonlijkheid. Maar als een kind het moeilijk had, was Maria een en al aandacht. Ze was sowieso op haar best in moeilijke omstandigheden. Dan floreerden haar organisatietalent en improvisatievermogen.

Beide had ze hard nodig bij het naderen van de Tweede Wereldoorlog. Jan werd anno 1939 voorzitter van de Vereniging voor Nationale Veiligheid en trok door het land om weerbaarheid te bepleiten tegenover het pacifisme. Bij de mobilisatie ging hij als reservekapitein naar Den Haag.

In Middelharnis had hij alvast een huis gehuurd waar zijn gezin na de bezetting veilig zou zijn achter de Hollandse waterlinie. Zes weken lang 'oefenden' ze daar met het hele gezin en toen de adjudant van de minister van Oorlog op 8 mei 1940 aan Jan het afgesproken sein gaf, verhuisde Maria met het hele huishouden naar Middelharnis, een zwartekousengemeenschap, waar zoon Ruud werd uitgescholden voor smerige rotpaap.

Jan werd kort na de Duitse inval door generaal Winkelman tot regeringscommissaris van de Arbeid benoemd. Niet lang daarna kreeg hij van de commissaris van de koningin in Groningen, mr. J. Linthorst Homan, het verzoek de Nederlandse Unie mee op te richten, met als doel vaderlandsgezinde Nederlanders samen te bundelen. De Quay wilde wel meehelpen het politieke vacuüm op te vullen, en daartoe voerde hij eindeloze gesprekken met Linthorst Homan, politiecommissaris L. Einthoven en de Duitse commissaris-generaal Schmidt. Maar vooral praatte hij met Maria. Als zij nee zou zeggen zou hij het niet doen. De beslissing viel tijdens een wandeling door het laantje van Middelharnis. Maria zei: 'Als je geweten het oplegt, dan moet je het doen. Dan houd ik je niet tegen, wat de gevolgen ook zullen zijn.'

Zijn bemoeienis met de Unie zou Jan de Quay zijn leven lang achtervolgen wegens vermeend heulen met de vijand. Hijzelf bleef altijd pal achter de Unie staan. De onderzoekscommissie-Fockema Andreae zuiverde na de oorlog zijn naam, maar toen De Quay later premier werd laaide de discussie weer op. Maria vond het onuitstaanbaar dat hij weigerde zich in het openbaar te verdedigen. Hij achtte dat niet nodig, omdat zijn geweten zuiver was. Het was een van de weinige geschilpunten in hun verder zo harmonieuze huwelijk.

In de oorlog werd Maria zesentwintig maanden lang van haar echtgenoot gescheiden. Eerst werd De Quay met andere vooraanstaande Nederlanders vastgezet in gijzelaarskampen. Bij de geboorte van dochter Claar in 1943 mocht hij een dag naar huis, evenzo bij het overlijden van schoonvader Van der Lande. Hij ontsnapte aan krijgsgevangenschap in Duitsland door op tijd onder te duiken. In Tilburg trakteerde Maria prompt op taartjes, zonder te verklappen waarom het een feestdag was.

Begin 1943 verhuisde Maria met het gezin naar het familiebuiten van de De Quays in het Brabantse Beers, de Hiersenhof (Hof van de Heer), omdat op het platteland gemakkelijker aan voedsel te komen was. Ze fietste boeren af voor eten, regelde hout voor de kachels, organiseerde slaapplaatsen en afleidende bezigheden en was het opgewekte, onvermoeibare middelpunt van een veelkoppige menagerie: de kinderen, twee oma's, Fien en nog een wisselend aantal familieleden.

Toen de bevrijders naderden kon Maria haar man weer in de armen sluiten. Uit dankbaarheid ontstaken ze een kaars in het Mariakapelletje bij de ingang van de Hiersenhof. En weg was Jan alweer, nu met de geallieerden richting Nijmegen. Hij was nog niet terug of generaal Kruls, chef van het Militair Gezag, kwam in Beers vragen of De Quay voorzitter van het college van commissarissen van landbouw, handel en nijverheid wilde worden, met als eerste taak het regelen van brandstof en eten voor het bevrijde deel van de bevolking. Vervolgens sommeerde koningin Wilhelmina Jan de Quay regelmatig naar Londen, om haar te adviseren in tal van zaken. Voor Maria gaf de koningin soms een pakketje naaigaren mee.

Weer was Maria veel alleen. In Londen brak de zoveelste kabinetscrisis uit en er moest weer een nieuwe regering worden samengesteld. Minister-president Gerbrandy vroeg Jan, toevallig in Londen voor besprekingen met Wilhelmina, als minister van Oorlog. Die weigerde, waarop Gerbrandy hem voorhield: 'Je vader was generaal, dan ben je erfelijk belast.' De Quay droeg namen van anderen aan, maar die weigerden allen, waarop hij de post aanvaardde. Na twee maanden was de oorlog voorbij en keerde de ex-minister met Maria en de kinderen terug naar Tilburg.

Daar begon men van alle kanten aan hem te trekken: voor heroprichting van de Nederlandse Unie; voor oprichting van de Nederlandse Volksbeweging, voor een Tweede-Kamerzetel voor de KVP, voor een bestuursfunctie van die partij. Op alles zei hij nee. Maria wist wat hij werkelijk ambieerde: de functie van commissaris van de koningin in Noord-Brabant. Die kreeg hij. Per 1 november 1946 betrok het gezin De Quay het Gouvernement in Den Bosch. Grote zalen, lange gangen – het leek wel een paleis. Zoon Cas bond meteen rolschaatsen onder, om de afstanden te overbruggen. In de kelders ontwikkelde Maria een nieuwe liefhebberij, het kweken van champignons. Altijd was ze bezig, want ledigheid was des duivels oorkussen. Ze werkte in de grote tuin en de bloemenkassen, deed aan borduren en kantklossen en was haar leven lang een noeste breister: ooit verzocht een medepassagier in de trein haar te stoppen met breien, omdat hij duizelig werd van haar snelheid. En op haar 46ste beviel ze nog van een zoon: Emmanuel ofwel Maas.

Het feit dat Jan haar weer in al zijn activiteiten betrok gaf haar vleugels. De Quay nam de industrialisatie van het agrarische Brabant ter hand, verbeterde het wegennet en stond aan de wieg van de Technische Hogeschool in Eindhoven, het Brabants Orkest en het Zuidelijk Toneel. Maria organiseerde diners, ontvangsten en partijen, terwijl Fien moederde over de jongste kinderen. Volgens Jan kon het Gouvernement net zo goed hotel-café-restaurant De Quay heten, met Maria als directrice. Jong en oud, hoog en laag, arm en rijk, iedereen was welkom Maria en Jan lieten zich niet isoleren door de Bossche elite. Die sprak er schande van dat de vrouw van de commissaris alle zomers de tuin openstelde voor kleinbehuisde moeders met hun kinderwagens. Anderen moesten wennen aan de vrijmoedige vrolijkheid die het gezin De Quay kenmerkte. Vader en moeder De Quay stimuleerden de conversatie, geen gespreksonderwerp was taboe. Er werd veel gelachen. Bron van amusement waren de plagerijen van Jan jegens Maria. Soms pakte ze hem terug. Tijdens zijn openingsspeech op een expositie van moderne kunst vergeleek hij die kunst met een echtgenote: 'Je kunt zeggen: ze is niet mooi, maar ik vind haar mooi.' Vanuit de zaal reageerde Maria meteen: 'Jij bent niet vervelend, maar ik vind jou vervelend.'

Het waren meer dan twaalf gelukkige jaren. Hij floreerde als bestuurder, zij als sfeermaakster, klankbord en organisator. Zo wilden ze graag tot zijn pensioen doorgaan. Het liep anders. Alweer werd de beminnelijke, bescheiden en op het politieke vlak totaal niet ambitieuze Jan de Quay naar een hoge post geduwd: in 1959 vroeg prof. C. Romme, voorzitter van de KVP-fractie in de Tweede Kamer, hem minister-president te worden van een kabinet waarin voor het eerst de socialisten zouden ontbreken. Jan: 'Ik stond verstomd! Het overviel me totaal. Ik voelde mij daarvoor niet geschikt én vanwege mijn beperkte capaciteiten én vanwege mijn gebrek aan enige parlementaire ervaring.' Toen Romme en ook Beel de druk opvoerden zag Jan zag nog maar één uitweg: in 1952 had hij het ministerschap van Binnenlandse Zaken geweigerd op grond van hartklachten. Dus ging hij met Maria meteen naar de cardioloog, in de hoop dat die hem nu weer zou redden. Deze oordeelde dat er geen enkele medische indicatie was voor het verbieden van het premierschap. Toen voelde De Quay zich verplicht het te doen. 'Al het oude, en lieve is nu verloren', schreef hij in zijn dagboek.

Ook Maria vond het vreselijk. Maar zoals altijd stond zij pal achter haar man. Dochter Claar zou als enige meeverhuizen – alle oudere kinderen waren inmiddels uitgevlogen (sommige helemaal naar Canada en Brazilië) en Maas bleef achter op kostschool. Claar protesteerde. Huilend riep zij dat ze niet mee ging. Nog nooit heeft Claar haar moeder zó woedend zien worden. 'En nóu hou je op! Denk je dat ík het leuk vind? Naar boven, en je spullen pakken!', beet Maria haar toe. Natuurlijk had Maria haar veto kunnen uitspreken over Jans premierschap. Dan was hij niet gegaan. Maar zij had net zoveel plichtsgevoel als hij en het hoge ambt prikkelde toch ook haar eerzucht. Ze was per slot van rekening een Van der Lande.

Dus daar gingen ze. Eerst naar een pension aan de Scheveningseweg, een paar maanden later naar een rijtjeshuis aan de Waalsdorperweg – in die tijd waren er geen speciale woonvoorzieningen voor een premier. Een van de schaarse keren dat ze een interview gaf, hield de premiersvrouw de schijn op dat ze het naar haar zin had. Maar ze voelde zich nutteloos en buitengesloten. Haar man deelde niet langer zijn besognes met haar. Enerzijds omdat hij thuis niet aan zijn werk wilde denken, anderzijds omdat hij bang was uit de school te klappen.

Natuurlijk was er compensatie, in de vorm van ontmoetingen met De Gaulle, de sjah van Perzië, koning Boudewijn van België en andere beroemdheden, en ze dineerde met alle leden van het Koninklijk Huis. Dan vond ze het ook best aardig om zich op te tutten, al hechtte ze verder weinig aan uiterlijk vertoon. Maar het woog allemaal niet op tegen het gemis van een echtgenoot die altijd alles met haar had gedeeld. Ook Jan was diep ongelukkig. Hij noemde zijn premierschap 'de zwaarste periode van ons leven, waarin wij als het ware geforceerd werden om naast elkaar te leven.' Hij omschreef Maria's gevoelens: 'Waarom die teruggetrokkenheid, die geheimzinnigheid, dat gebrek aan vertrouwen en die geringe belangstelling voor haar en de kinderen? Het gezinsleven leed zichtbaar onder dit zware ambt.' In dat ambt had hij last van een minderwaardigheidscomplex. Vele malen noteerde hij in zijn dagboek hoe dom, klein en onhandig hij zich voelde in het politieke bedrijf. Zijn werkdagen waren lang en 's avonds at hij vaak met collega's in Des Indes. Soms kwam Maria naar de stad om een biertje mee te drinken, en af en toe slaagde Jan erin om vroeg naar huis te gaan: ''t Is voor Maria vaak zo stil.'

Toen in december 1960 een kabinetscrisis dreigde, dacht De Quay opgelucht dat hij 'ervan af' was. Maar onder leiding van Wim Kan zong heel Nederland 'Lijmen Jan' en het kabinet bleef overeind. Er zit niets anders op, noteerde De Quay, dan de kelk tot op de bodem leeg te drinken. Intussen was er geen minister-president bij zijn ministers zo geliefd als Jan de Quay. Met een aantal sloot hij vriendschappen voor het leven. Maria was gereserveerder. Ze wantrouwde Norbert Schmelzer, de persoonlijke assistent van de premier, en Jo Cals speelde volgens haar machtsspelletjes omdat hij De Quay 'maar een halfje' vond. De premier zag vooral het goede in anderen. 'Ik mag eigenlijk iedereen. Daarom ben ik zo ongeschikt voor de politiek', schreef hij in zijn dagboek.

Maria organiseerde maandelijkse bijeenkomsten met ministersvrouwen en hield *jours* voor ambassadeursvrouwen aan de Waalsdorperweg. Gehuurde gouden stoeltjes werden in de kamer-en-suite gepropt. 'Is this the residence of your prime minister?', vroeg de Argentijnse ambassadeursvrouw eens verbaasd aan Fien. Met ministersvrouw Miek Korthals werd Maria dikke vriendinnen. Een lichtpuntje vormden de weekends op de Hiersenhof dat dankzij een vorstelijk afscheidscadeau van de provincie Noord-Brabant van elektrisch licht, waterleiding en verwarming was voorzien. In de zomervakanties bezochten ze als het even kon de overzeese kinderen.

Beiden telden de dagen af naar het eind van de kabinetsperiode. Toen het zover was liepen Jan en Maria bijna zingend vanaf het Voorhout naar huis. Het leek wel Bevrijdingsdag, aldus Maria. Binnen een week waren ze verhuisd naar de Hiersenhof. Daar ging Jan in op verzoeken in allerlei bestuurlijke gremia zitting te nemen, hij aanvaardde commissariaten bij bedrijven, en drie jaar lang zat hij in de Eerste Kamer. Hij keerde zelfs nog een jaar terug in het kabinet als minister van Verkeer en Waterstaat.

Intussen haalde Maria op haar zestigste nog haar rijbewijs. Voortaan deed ze de boodschappen per auto, al bleef ze zuinig als altijd en reed desnoods een eind om als de radijzen ergens goedkoper waren. Samen met Jan maakte ze lange wandelingen, zoals vroeger langs de Amsterdamse grachten. Hij pakte dan vaak haar hand. Soms zagen de kinderen zelfs dat hij haar een kusje gaf. De plagerijtjes bleven. In het familieboekje schreef hij 'ik bleef de spotter, zij de hertogin.' Zij maakte van de Hiersenhof de centrale ontmoetingsplaats voor alle kinderen. De zolder liet ze voltimmeren met extra slaapkamers, voor de jeugd waren er wiegjes, boxen, speelgoedkasten, fietsen en schommels. Van de tuin maakte ze een lustoord, en betreurde het dat Jan niets aan tuinieren vond. Elke zomer logeerden ook alle buitenlandse kleinkinderen op de Hiersenhof.

Op zijn tweeënzeventigste legde Jan al zijn functies neer. Toen brak het rampjaar 1976 aan. De Quay werd ernstig ziek. In het ziekenhuis in Den Bosch onderging hij diverse operaties. Na honderd dagen mocht hij naar huis. Zijn gestel had een flinke tik gehad en hij was aan een oog blind geworden, maar hij bleef blijmoedig. Elke dag ging hij een kaarsje aansteken in het Mariakapelletje. Huishoudster Mieke Melman werd aangetrokken, zodat ze op de Hiersenhof konden blijven. Daar kreeg Jan op zijn tachtigste verjaardag van alle burgemeesters die in Brabant onder hem hadden gediend een bronzen beeldje, 'De Contente Mens'. Maria kreeg er ook een: 'De Pronte Vrouw'.

Drie jaar later werd Jan weer ziek. Dochter Miebeth kwam over uit Canada, er werd een extra verpleegster ingehuurd, en Maria week niet van zijn ziekbed. Als een cerberus bewaakte zij haar geliefde. Met zoon Maas, die zij 'collega' noemde omdat hij arts was geworden, had ze indringende gesprekken over de naderende dood, die zij weigerde te accepteren. Uiteindelijk legde ze zich erbij neer. De volgende dag stierf Jan. Op zijn bidprentje kwamen de slotregels van

De Nar: 'Dit is het einde, en het nieuwe komt en het is rijker dan wij kennen voor ons, die God in de ogen durven zien.'

Maria overleefde hem nog drie jaar. Ze bleef bezig, zoals ze altijd had gedaan. Ze ontving kinderen en kleinkinderen, maakte wandelingen door de tuin en autoritjes met Mieke. Maar de glans was eraf. Op zekere dag kreeg ze een hersenbloeding en raakte ze in een diep coma. Maas had haar moeten beloven haar leven niet kunstmatig te laten rekken. In overleg met hem en alle broers en zussen verwijderde de behandelend geneesheer de levensverlengende infusen. Op 6 november 1988 stierf Maria de Quay-van der Lande, 87 jaar oud, in de vaste overtuiging dat ze Jan in de hemel zou terugzien.

Trix Broekmans

foto privé-bezit familie Marijnen

Victor en Mini Marijnen

Mini Marijnen-Schreurs (1921)

Toegewijde duizendpoot

Op zaterdagavond aten Mini en Victor Marijnen samen, de kinderen moesten boven blijven. Victor Marijnen maakte nasi, de spullen had hij 's middags bij de toko gehaald. En dan zette hij een grammofoonplaat op, meestal de *Bolero*. 'Wij mochten absoluut niet binnenkomen', zegt Michel Marijnen, de oudste zoon. 'Maar we gingen soms toch stiekem bij de deur luisteren.' En wat hoorden ze dan? 'Nou ja', zegt Michel Marijnen. Hij haalt zijn schouders op. 'Niks. Ze zaten te praten, over pa's werk.'

Victor Marijnen was toen nog directeur op het ministerie van Landbouw. Hij woonde met zijn gezin in de bloemenbuurt, in Den Haag. 'Achteraf', zegt Michel Marijnen, 'is het een wonder dat hij die nasi maakte. Hij kon verder helemaal niet koken, en eten interesseerde hem niet. Alleen makreel, dat vond hij heerlijk. Dat kocht hij wel eens, en dan zei mijn moeder: doe dat nou níet. Want pa was wel te dik, en later had hij suikerziekte.'

Mini Marijnen, geboren op 15 januari 1921 in Arnhem, zegt dat haar man 'zijn hele body' aan haar uitleverde. Als ze bij een diner waren, liep ze altijd even naar de kelner. 'Denk eraan, zei ik, bij het toetje een stukje kaas, geen ijs.' Norbert Schmelzer, toen fractievoorzitter van de KVP, riep een keer waarom hij geen kaas kreeg. Ze lacht. Ze zegt: 'Mijn man vond dat zijn gezondheid en hoe hij eruit zag mijn zaak was. Dat moet jij maar doen, zei hij. Hij had zijn hoofd niet bij dat soort dingen. Hij werkte, altijd. En hij deed alles snel en geconcentreerd.'

Toch was hij vatbaar voor elke ziekte die er heerste. Reuma, roodvonk en polio – in 1956 nog. Het hele gezin Marijnen was naar het oosten van het land gegaan, het virus was vooral actief aan de kust. Victor Marijnen was de enige die het kreeg. Zijn rugspieren raakten aangetast. Hij is er altijd naar blijven lopen.

Victor Marijnen – hij werd 'Vic' genoemd – stierf op 5 april 1975, op zijn achtenvijftigste. Hij kreeg een hartaanval. Hij was toen burgemeester van Den Haag. Zijn moeder, zegt Michel Marijnen, had haar man net weten te verleiden om wat vaker naar hun huis op de Veluwe te gaan, en wat meer te klussen en te timmeren. Hij zegt dat zijn moeder het onrechtvaardig vond dat haar man zo jong dood ging. 'Ze mist hem nog steeds.' Hij kent weinig mensen, zegt hij ook, die zo gelukkig met elkaar waren. 'Die twee waren, eh, hoe zeg je dat mooi? Ze waren symbiotisch.'

Wilhelmina Geertruida Maria Marijnen-Schreurs was de oudste van een gezin met elf kinderen. De familie woonde in Arnhem, later in Nijmegen. 'We waren katholiek', zegt ze. 'We waren niet Rooms.' Ze bedoelt: wel gelovig, maar geen ontzag voor de kerk als instituut. Haar jongste broer, Rob Schreurs, zegt: 'Roomsen weten wat goed is voor een ander.' Daar waren hun ouders te liberaal voor.

Hun vader, Michel Schreurs, was notaris. Moeder Jo Verkuyl deed het huishouden. 'Maar er was hulp voor dag en nacht', zegt Mini Marijnen. 'Ik heb haar nooit zien koken. Ze zat vol humor, en ze tilde niet zo heel zwaar aan alles.' Mini Marijnen ging naar het gymnasium, bij de nonnen, als *demi pensionnaire*. Op school eten en huiswerk maken, thuis slapen. Ze was niet de braafste, zegt ze. 'Bij ons thuis heerste geen dwang dat je zonder meer je superieuren moest gehoorzamen.' Haar vader wilde dat ze ging studeren. Maar de oorlog en haar rol van oudste meisje in een groot gezin hielden haar na haar eindexamen thuis. Haar moeder kon haar niet missen, met zo veel kinderen die verzorgd moesten worden. Familie, vrienden, iedereen kon altijd blijven eten en logeren. Haar broer Rob, geboren in 1936, zegt dat zijn zusje zich gemakkelijk door hun moeder liet inschakelen. 'Onze moeder kon niet organiseren, Mini wel. Ze deed het graag. Ze klaagde nooit.'

Mini kende Victor al. Ze zat nog op school toen ze hem voor het eerst zag, bij een debatingclub voor jongens en meisjes in Arnhem. Dat was in 1938. Vic Marijnen, geboren in februari 1917, studeerde al, rechten, in Nijmegen, na de HBS. 'Ik vond hem een gave vent, geestig. Ik was blij met hem, en vol bewondering voor zijn zuivere manier van denken.' Zijn vader had een bedrijfje in damesmode. Zijn moeder stierf toen hij vier was. Zijn stiefmoeder, van wie hij veel hield, stierf toen hij acht was. Toen moest hij naar kostschool. 'Mijn man was doodsbenauwd dat mij iets zou overkomen', zegt Mini Marijnen. 'Hij schrok zich lam toen ik in 1948 een galblaasontsteking kreeg.'

Ze trouwden in mei 1944 toen Vic Marijnen werk in Den Haag had gekregen. Een van zijn hoogleraren had gezorgd dat hij bij de voedselvoorziening terecht kon, op het ministerie van Landbouw. Anders moest hij naar Duitsland voor de *Arbeitseinsatz*. Hij had eigenlijk advocaat willen worden, ze waren al op zoek geweest naar een kantoor waar hij stage kon lopen, in Arnhem. Maar nu gingen ze in Den Haag wonen. Binnen een jaar kregen ze hun eerste kind, Michel. Daarna kwamen Eugénie, Gidy (van Egidius), Anne-Els en Bart. En toen was er nog een nakomertje, Peter-Paul.

Vic Marijnen maakte snel carrière. Afdelingshoofd, adjunct-directeur, directeur – allemaal op het ministerie van Landbouw. In 1957 werd hij algemeen secretaris van het Katholieke Werkgevers Verbond. In 1959, op zijn tweeënveertigste, werd hij minister van Landbouw in het kabinet-De Quay, overgehaald door Norbert Schmelzer. Zijn jongste kind was net twee weken daarvoor geboren. Eugénie Schornagel-Marijnen, geboren in oktober 1946, zegt dat haar moeder er meer aan moest wennen dat er weer een baby was dan aan de nieuwe positie van haar man. 'Maar ze straalde niet uit dat ze het niet leuk vond. Ze hield ervan om moeder te zijn.' Michel Marijnen: 'Het hele huis stond van beneden tot boven vol met bloemen. Voor mijn broertje en voor pa.'

Het verbaasde Mini Marijnen niet dat haar man minister van Landbouw werd. 'Hij werd altijd overal voor gevraagd.' Ze betwijfelde wel of hij geschikt was voor de politiek. Haar broer Rob Schreurs betwijfelde dat ook. Ze vonden hem meer een bestuurder.

Zei Mini Marijnen dat tegen haar man?

'Ik zei dat ik er mijn gedachten over had.'

Haar voordeel was, zegt Mini Marijnen, dat ze goed had leren organiseren. Want nu kwamen de buitenlandse reizen, meer dan vroeger, en de diners op de ambassades, minstens twee keer per week. 'Ik zat vaak in de auto mijn nagels nog te lakken. Het ene moment dweilde ik de keukenvloer, het volgende moment stond ik in mijn avondjurk. Ik at eerst met de kinderen. Ik dacht: als ik verdorie maar niet later het verwijt krijg dat ze te weinig aandacht hebben gekregen.'

Het was vanzelfsprekend dat ze overal mee naar toe ging. Het werd van haar verwacht. Mini Marijnen begon in die tijd alles te lezen waar haar man mee bezig was. En hij praatte veel tegen haar. ''s Avonds in bed zat hij stukken te lezen, hij schoof ze naar mij door. Ik gaf hem mijn mening. Maar ik domineerde niet. Ik probeerde geen invloed uit te oefenen.' Ze is even stil, denkt aan de mogelijkheid dat ze dat wel zou hebben gedaan. 'Stel je voor, nee. Ik was een klankbord. Ik was niet verantwoordelijk.'

Later, toen haar man burgemeester van Den Haag was, wendde ze haar invloed wel aan. Dan kwamen er boze mensen aan de deur van de ambtswoning, om te klagen over hun te kleine huis of over een speelplaats die er maar niet kwam. 'Dan liet ik ze binnen, liet sigaretten en koffie brengen, pakte een blocnote en ik zei: ik kan niks beloven, ik heb geen enkele bevoegdheid, ik schrijf alles op en ik zal mijn best doen.' Maar bij de minister van Landbouw kwamen geen boze mensen aan de deur.

'Mijn moeder maakte er haar vak van om mijn vader te ondersteunen', zegt Michel Marijnen, zelf burgemeester van Roosendaal. 'Maar ze had aan ons ook een dagtaak. Een wasmachine was er nog niet. En totdat we in het Catshuis gingen wonen, hadden we geen vaste hulp.' Zijn moeder, zegt hij, had veel werk aan de begeleiding van haar kinderen op school. 'Wij waren niet zo heel erg geïnteresseerd in het maken van huiswerk.' Toen zijn vader minister-president was geworden, werd Michel Marijnen met zijn broer Gidy naar kostschool gestuurd. Zijn moeder vond dat hij zich te veel liet afleiden door alle politici en leden van de koninklijke familie die bij hen in en uit liepen.

Het verraste Mini Marijnen wel dat haar man gevraagd werd om minister-president te worden. Aan het kabinet-De Quay was een einde gekomen, in 1963, en de KVP werd na de verkiezingen de grootste partij – achteraf voor de laatste keer. Vijftig zetels in de Tweede Kamer. Maar Vic Marijnen wilde een juridisch adviesbureau beginnen. Hij had al rondgekeken naar een geschikte locatie. En ze waren een paar dagen met vakantie gegaan. Niet naar Noord-Italië, met de tent, wat ze 's zomers altijd met de kinderen deden. Ze waren samen een paar dagen naar België gegaan. En toen belde koningin Juliana. Of hij formateur wilde worden. Jan de Quay was al begonnen met de formatie, maar hij wilde geen premier worden. De ARP kwam met Jelle Zijlstra. Daar had de KVP geen zin in. Dan liever Marijnen, vond De Quay. Die kon mensen goed bij elkaar houden. Hij dacht dat Marijnen Gerard Veldkamp wel aan zou kunnen. Die was al minister van Sociale Zaken in zijn kabinet geweest, en werd het nu weer. Veldkamp stond bekend als een ruziezoeker, een driftkop.

'Ik vond het niks, eigenlijk', zegt Mini Marijnen. 'Mijn man twijfelde ook. Hij zei: mentaal ben ik al van de politiek afgestapt. Ik zei: zou je het wel doen? Maar ik heb hem niet tegengehouden. Dat heb ik nooit gedaan.' Ze wacht even en zegt dan: 'Nou, één keer dan. Hij werd ook gevraagd om voorzitter te worden van het curatorium van de universiteit van Nijmegen. Ik zei: dat doe ik niet, ik ga niet terug.'

'Mijn moeder bleef gewoon wie ze was', zegt Eugénie Schornagel-Marijnen. 'We verhuisden, ze had meer kleding nodig – die liet ze maken door een couturier in Leiden. Ze kreeg het nog wat drukker. Maar dat was het.' Eugénie – ze was 17 toen ze in het Catshuis gingen wonen – hielp haar moeder zo veel ze kon, zeker in het begin, toen er nog geen personeel was en alles op gang moest komen. Deur opendoen, telefoon aannemen, koffie schenken, zoutjes en sigaretten presenteren. Vic en Mini Marijnen en hun kinderen waren de eerste bewoners van het Catshuis. Het kabinet-De Quay had het gekocht, voor een betere representatie van Nederland. In Duitsland en Frankrijk werden staatshoofden, politici en ambassadeurs ontvangen in kastelen en paleizen, in Nederland gebeurde dat tot dan toe in hotel De Wittebrug in Den Haag. Er waren buitenlanders die dachten dat de initialen op het bestek naar Wilhelmina en Bernhard verwezen.

'Samen met de rijksbouwmeester heb ik het Catshuis ingericht', zegt Mini Marijnen. 'Dat heb ik enig gevonden.' Ze laat foto's zien van het huis aan de buitenkant. Daar was de herenkamer, daar haar eigen kamer, van waaruit ze goed kon zien of de gasten er al aankwamen. 'Een oer-Hollands, gezellig huis was het, niet te groot en niet te klein.' Ze ging naar de opslag van het Rijk voor meubelen en schilderijen. Ze zocht bestek, servies en glaswerk uit, met het wapen van Nederland erin gegraveerd. 'Eenvoudig, geen poespas.' De zijden gordijnen, bruin en beige *changeant*, kwamen uit Parijs. In een glazen vitrinekast zette ze een Japans porseleinen servies neer, ook van het Rijk. Het mocht pas nadat ze had beloofd om de sleutel van de kast aan de rijksbouwmeester te geven. Niemand mocht het servies ooit aanraken, omdat het zo oud en kostbaar was. Het was echt een huis om in te wonen, zegt ze. Persoonlijk, warm, met grandeur, maar niet te veel. Ze ziet daar niets meer van terug, nu het Catshuis gemoderniseerd is. Alle intimiteit is verdwenen, zegt ze. De luiken bij de ramen zijn weggehaald, de dikke houten kozijnen vervangen door kunststof. 'Het is gemaltraiteerd.'

Mini Marijnen belde toen ze net verhuisd was naar het ministerie van Algemene Zaken om te vragen hoe ze aan een geschikte hulp kwam. Ze kreeg een meisje van een Zwitserse hotelschool. 'Ze was heel aangenaam', zegt Mini Marijnen. 'Maar op een dag riep een van de kinderen: de juffrouw is dood!' Ze had epileptische aanvallen. Toen kwam er een meisje uit het Westland, betrouwbaar en solide. 'Ze zei: ik weet van niks. Ik zei: ik ook niet, maar eten bestellen kunnen we samen wel.' Sia van der Arend heette dat meisje, geboren in 1935. Ze kwam in het Catshuis in 1964, ze bleef tot 1994. Alle kabinetten in die jaren heeft ze gezien. De ministerraad vergaderde er toen de Trêveszaal werd verbouwd – maar dat was na Marijnens tijd. 'Ministers kwamen bij mij in de keuken om een boterham en een glas melk te vragen', zegt Sia van der Arend. 'In de pauze gingen ze voetballen in de tuin.'

Sia van der Arend woonde tot 1984 ook in het Catshuis. Nu heeft ze een tweekamerflatje in Loosduinen, bij de eindhalte van lijn 3. Ze laat een boekje zien over de geschiedenis van het Catshuis, met veel foto's, gemaakt door Bart Marijnen, het vijfde kind van Vic en Mini Marijnen (Bart Marijnen maakte ook staatsieportretten van Willem-Alexander en Máxima). 'Het was een gezellig gezin', zegt ze. 'Ik haalde 's middags vaak de jongste van de kleuterschool.'

De verlovingsreceptie van Pieter van Vollenhoven en

prinses Margriet was in het Catshuis. Ook kwamen koningin Juliana en prins Bernhard een keer dineren, met prinses Beatrix. De tafel werd gedekt met het servies van de moeder van Mini Marijnen: goud met donkerrood en donkergroen, en kleine roze met witte bloemetjes. 'Die zijn van email', zegt Mini Marijnen. Ze pakt een bord uit de grote antieke kast bij haar eettafel – een deel van het servies heeft ze nog steeds. 'Prins Bernhard draaide het meteen om, hij wilde kijken waar het vandaan kwam.' Sia van der Arend: 'Alle gasten pakten toen hun bord op om te kijken.' En ze zetten het slordig terug. De tafel was gedekt met de centimeter.

Op de kast in de logeerkamer van Mini Marijnen – ze woont vlakbij het Malieveld in Den Haag – staan zes dikke boeken met daarin alle krantenknipsels, alle telexen en alle toespraken van haar man over wat de geschiedenis is ingegaan als de 'Irene-kwestie'.

Prinses Irene wilde trouwen met de Spaanse troonpretendent Carlos Hugo de Bourbon Parma. Maar hij was lid van de Carlisten, een monarchistische beweging die door de Nederlandse regering als verdacht werd beschouwd. En hij was katholiek. Prinses Irene was in het geheim ook katholiek geworden. En daar waren heel veel Nederlanders – de protestanten – erg boos over. Andere Nederlanders – de katholieken – waren dáár weer boos over. Ze vonden het een schande dat het kabinet de ouders van Irene had verboden om bij het huwelijk, in Rome, aanwezig te zijn. Ze waren soms zo boos dat ze er hun katholieke minister-president zelf over opbelden, liefst midden in de nacht. 'Dat kon toen nog', zegt Mini Marijnen. Ze vindt dat de zuilen in die tijd 'op hun lelijkst' waren. Ze denkt dat dat komt omdat hun macht, vooral die van de KVP, bijna voorbij was. Het was 1964. 'Dit waren de laatste oplevingen.'

Ze vindt dat de rol van haar man in de Irene-kwestie later niet goed is weergegeven. 'Het was niet zo dat hij er geen grip op had', zegt ze. 'Hij bleef boven de partijen staan.' Hij maakte, vindt ze, heel goed onderscheid tussen zijn ministeriële verantwoordelijkheid, die ertoe deed, en alle sentimenten over monarchie, religie en moeder-dochterverhoudingen, die er niet toe deden. Het knapste vond ze dat haar man de verhouding tussen het kabinet en de koninklijke familie goed wist te houden. Dat hij twee dagen na het huwelijk van Irene en Carlos Hugo, op 28 april in Rome, bij het defilé op Koninginnedag naast de koningin mocht staan was niet voor de vorm, zegt ze. 'Het was een blijk van dank en waardering. Juliana had eerder al naar een manier gezocht om die te uiten. Op de dag van het huwelijk van haar dochter belde ze: "Nou heb ik het! U komt bij mij op het bordes staan." Ze vond dat subtiel en duidelijk.'

Volgens Mini Marijnen waren voor de Nederlandse regering vooral de politieke aspiraties van Carlos Hugo onoverkomelijk. 'Hij had de manieren van een vorst van voor de Franse Revolutie. Het koninklijk gezag was van God gegeven, daar hadden burgers en hun vertegenwoordigers in het parlement niets mee te maken. Mijn man nodigde hem in het Catshuis uit om hem een paar colleges staatsrecht te geven. Maar die hadden geen enkel effect.'

Het was een spannende tijd, zegt Mini Marijnen. Opeens naar Schiphol moeten, om te bemiddelen tussen de koningin en haar dochter. Of naar Soestdijk, waar de zusjes van Carlos Hugo bleven hangen terwijl koningin Juliana en prins Bernhard in het buitenland waren en Carlos Hugo zelf ook weg was. 'Mijn man ging ze uitleggen dat Nederland gastvrij is, maar dat het hier niet de gewoonte is om te blijven als de gastvrouw en gastheer er niet zijn.'

Vic Marijnen raakte er volgens zijn vrouw niet gespannen van. Dat werd hij pas, zegt ze, toen er steeds meer ruzies kwamen tussen zijn ministers. De laatste ruzie ging over het omroepbeleid. Welke nieuwe omroepen mochten in het bestel? Hoe commercieel mochten ze zijn? De VVD vond dat wat later de TROS werd ook zendtijd moest krijgen. Maar de KVP, de ARP en de CHU vonden dat omroepen christelijk of socialistisch moesten zijn, in elk geval iets. En de TROS was niets. De Tweede Kamer eiste een voorstel, maar dat kwam niet op tijd. Het kabinet-Marijnen, dat er negen keer over vergaderde, viel in februari 1965. Na anderhalf jaar. Het ging de geschiedenis in als een zwak kabinet, met een zwakke leider. Het omroepbeleid werd aangegrepen om het te laten vallen.

Volgens Mini Marijnen kwamen de ruzies in het kabinet vooral door Gerard Veldkamp. 'Het was honderd procent zijn schuld.' Veldkamp, die binnen de KVP veel prestige had door de steun van de vakbeweging, deed dingen die haar man volkomen vreemd waren. 'Manipuleren, mensen tegen elkaar uitspelen, dreigen.' Toen kreeg Vic Marijnen er last van dat hij, zoals de broer van Mini Marijnen het zegt, 'geen partijpoliticus' was. 'Die trucs waren hem vreemd. Hij kon er niet tegenop.' Mini Marijnen: 'Mijn man was geen fanaticus, nooit geweest.' Ze vond dat een goede eigenschap. Eugénie Schornagel-Marijnen, verpleegkundige en verband- en gipsmeester, zag haar vader in die laatste maanden stiller worden, en prikkelbaarder. Ze zag dat haar moeder hem zo veel mogelijk probeerde te helpen. 'Als hij tussendoor even thuis kwam, maakte ze een boterhammetje voor hem klaar. Of ze liet hem een halfuurtje slapen.' En zij hielp haar moeder. 'Ik lette erop dat er altijd wat te eten was, dat de wasmachine draaide.' Ze moest dat jaar eindexamen doen van de MMS. Ze zakte. Michel Marijnen: 'Mijn moeder had altijd afstand weten te bewaren. Maar met Veldkamp begonnen haar eigen gevoelens op te spelen. Ze verdroeg het slecht dat ze pa door de spelletjes van die man zo gestrest zag worden. Ze werd voor het eerst opstandig.'

Mini Marijnen weet nog steeds niet of het jaloezie, ambitie, eerzucht of nog iets anders was dat Gerard Veldkamp dreef. 'Maar die man wóu en zóu, en hij zette de hele KVP en het hele kabinet onder druk.' Veldkamp was voor toelating van commerciële televisie.

Kort voor de val van het kabinet vergaderden de KVP-ministers met de KVP-partijtop in het Catshuis. 'Ze zaten in de herenkamer', zegt Mini Marijnen. 'Ik bracht koffie en wijn. Ik deed dat, en niet Sia, omdat het zo hoog opliep. Het geschreeuw en het kabaal werden steeds erger. Diep in de nacht was het zo erg dat Eugénie er wakker van werd. We stonden samen in de gang, ik zei: zullen we kijken of er politie in de buurt is? Op dat moment vloog de deur open. Veldkamp rende naar buiten en greep zijn jas.' Mini Marijnen ging de herenkamer binnen. Iedereen zat er verslagen bij. De voorzitter van de KVP keek naar de kachelpoken bij de open haard. 'Je zag hem denken: die had ik graag even gepakt.'

Gerard Veldkamp werd in het volgende kabinet weer minister van Sociale Zaken. Hij voerde de WAO in. Vic Marijnen werd voorzitter van het Openbaar Lichaam Rijnmond, daarna al snel burgemeester van Den Haag. Sia van der Arend vond het sneu voor Mini Marijnen en haar gezin dat ze zo snel weg moesten uit het Catshuis. 'Ze hebben er maar een jaar gewoond', zegt ze. 'Op één dag kwamen er twee verhuiswagens.' Jo Cals was minister-president geworden.

Mini Marijnen vond het niet zo erg om weg te gaan. 'Ik heb er nauwelijks bij stilgestaan.' Ze heeft het wel erg gevonden dat ze drie maanden na de dood van haar man weg moest uit de burgemeesterswoning. Ze verhuisde met de vier kinderen die nog thuis woonden naar de buurt waar ze nu nog steeds woont. Toen ze een beetje over het ergste verdriet heen was, ging ze zich inzetten voor drugsverslaafden en kinderen met psychiatrische problemen. Ze werd bestuurslid van Curium, een kliniek in Oegstgeest, en van de Emiliehoeve, in Den Haag. Haar broer, Rob Schreurs, zegt dat zijn zusje autonomer is geworden na de dood van haar man. Zelf zegt ze dat ze eerst wel onzeker was. 'Ik dacht: ik zeg overal ja op, en dan hou ik voorlopig mijn toet.' Maar dat, zegt ze, veranderde al snel.

Antje Koelewijn & Jannetje Koelewijn

foto Spaarnestad Fotoarchief/ANP

Truus en Jo Cals

Truus Cals-van der Heijden (1915-1982)

Introverte mystica

Te midden van het gewoel van een receptie overkwam het haar soms dat ze even helemaal weg was. Dan voelde Truus Cals zich plotseling met God verbonden. Maar ze kon zich er niet aan overgeven, want ze moest haar representatieve taak vervullen en zich onderhouden met haar gasten. Het waren hartverscheurende momenten. Ze kon zich niet laten gaan, terwijl opgaan in God haar grootste verlangen was.

Later, toen Geertruida Catharina (Truus) Cals-van der Heijden geen ministers- of premiersvrouw meer was, kon ze het protocol laten voor wat het was. Eindelijk kon ze de rust opzoeken voor het samenzijn met God. Zoals ze aan het eind van haar leven noteerde: 'God, vandaag verlang ik zo allerverschrikkelijkst hevig naar u. De aarde met alle mensen kan ik niet verdragen, de hemel kan ik niet bereiken. Ik zweef daar ergens eenzaam tussenin.'

Deze in zichzelf gekeerde, contemplatieve vrouw koos na het gymnasium voor de rationele studie rechten, vermoedelijk omdat haar vader hoogleraar was aan de juridische faculteit van de Katholieke Universiteit Nijmegen.

Egidius van der Heijden, een in Gouda geboren advocaat, had zijn bloeiende praktijk in Rotterdam in 1923 opgegeven voor een hoogleraarschap aan de eerste roomse universiteit van Nederland. Deze autoriteit op het terrein van het vennootschapsrecht was een enthousiast hoogleraar, die echt college gaf in plaats van dictaten op te lepelen, zoals zijn collega's vaak deden. Van der Heijdens' echtgenote, de spontane Catharina van der Spek, was tien jaar ouder. Truus, geboren op 28 juni 1915 in Rotterdam, was hun enige kind. Ook groeide er nog een geadopteerd Hongaars meisje op in het katholieke gezin. Dochter Truus bezocht de bijeenkomsten die haar vader voor studenten organiseerde. Iedereen in Nijmegen kende de struise professorendochter.

Ze erfde niet alleen haar vaders geprononceerde neus, maar ook diens liefde voor de natuur en zijn onafhankelijke geest. Zijn eigenzinnigheid stoorde dochterlief wel eens. Als ze met hem naar een concert ging en hij uit verveling de krant ging lezen, schaamde ze zich dood.

Toch werd Truus van der Heijden, ze was inmiddels lid van de senaat van de universiteit, verliefd op een man die ook de aandacht wist te trekken. De een jaar oudere rechtenstudent Jo Cals was net als Truus lid van de senaat. Zo leerden ze elkaar kennen. Jo Cals was opgegroeid in een gezin met zeven zussen. Als kind was hij een enthousiaste padvinder bij de verkennersgroep Sint-Franciscus in de Midden-Limburgse bisschopsstad Roermond. Ondanks zijn geringe lengte had hij bepaald geen minderwaardigheidscomplex. Hij was intelligent, rad van tong, spitsvondig, maar ook ongedurig. In Nijmegen werd de rechtenstudent Cals preses van het studentencorps, later schopte hij het tot Kamerlid, staatssecretaris, minister en in 1965 tot premier.

Truus van der Heijden, bijna een kop groter dan Jo Cals, was de rust zelve. Reageren op de man wiens scherpe tong niet bij iedereen in goede aarde viel, deed ze zelden. Maar omstanders konden aan haar gezicht wel zien wat Truus ervan vond.

Net voor het uitbreken van de Tweede Wereldoorlog studeerden ze af – Truus met iets betere cijfers dan Jo – om een jaar later te trouwen. De huwelijksreis voerde hen per tandem door Nederland. Samen namen ze een Nijmeegse advocatenpraktijk over, maar veel gepleit werd er die oorlogsjaren niet. Sowieso hield Jo meer van 'puzzels oplossen' dan van pleiten. Bovendien werd hij na het houden van een anti-Duitse rede voor het studentencorps opgepakt en kreeg hij een spreekverbod. Truus Cals runde het advocatenkantoor en nam 'de puzzels' van haar man waar; hij ging lesgeven aan het Bisschoppelijk College in zijn geboorteplaats Roermond, waar een luik in de vloer als vluchtweg diende voor het geval de Duitsers zouden opduiken. Truus en Jo Cals kregen in maart 1942 hun eerste kindje: Jacques.

In mei 1944 werd het jongetje tijdens familiebezoek in Roermond ziek. Een kinderarts was dat pinksterweekeinde nergens te bereiken, waarna Jacques op 30 mei overleed aan de gevolgen van darmproblemen. Het verdriet verscheurde Jo en Truus Cals. Jo ging nog meer op in zijn werk. Truus dacht nog meer na over het leven en over God. Ze ging regelmatig in retraite en zocht steun bij een geestelijk leidsman, deken Kees van Dijk. Maar ze sloot zich niet op in haar verdriet. Dat ervoer een bij de familie Cals inwonende vriend, de latere KVP-staatssecretaris van Onderwijs Cees Schelfhout, die het vanwege zijn oorlogservaringen ook moeilijk had. Als hij in de put zat, riep Truus Cals: 'Cees, ik heb thee.'

Het verlies van haar eerste kindje heeft haar leven getekend. Elk voorjaar weer merkten de vijf kinderen dat moeder erg verdrietig was rond de geboorte- en sterfdag van hun overleden broertje. Erover spreken deed ze niet. Dat lag niet in haar aard. Luisteren was haar specialiteit.

En daar deed Jo Cals zijn voordeel mee. Voor hem was zijn echtgenote een steunpilaar, op wie hij altijd kon rekenen. Zelf ontwikkelde hij al snel een werkpatroon met zelden een moment van rust. Gemiddeld legde hij in die dagen duizend kilometer per week af in zijn grote Dodge, die hij had gekregen van een oom van zijn vrouw, die in de Amerikaanse stad Seattle actief was in de automobielbranche.

Jo Cals was in de oorlog al opgevallen door zijn leiderschapskwaliteiten. Hij leidde meteen na de oorlog de net opgerichte KVP in de Nijmeegse noodgemeenteraad en was een veelgevraagd bestuurder. Hij was tevens raadsheer en plaatsvervangend kantonrechter. In 1948 werd hij Kamerlid en twee jaar later staatssecretaris van Onderwijs.

Zijn echtgenote bekommerde zich om het huishouden en de opvoeding van de kinderen. De juriste zou haar vak na de oorlog nooit meer uitoefenen en noemde zichzelf 'gewoon huismoeder'. Maar wie haar ontmoette, voelde meteen dat zij meer interesses had dan het aanrecht en 'het betrekkelijke van veel dingen waarover veel vrouwen zich druk kunnen maken wonderlijk helder inziet', zoals een krantenjournalist in 1965 noteerde.

Of hij daarmee ook doelde op haar uiterlijk is onduidelijk. Een schoonheid was Truus Cals niet en over materiële zaken als kleding maakte ze zich niet al te druk. Maar een *femme savante* was ze volgens dezelfde journalist nou ook weer niet.

Het waren de jaren dat de vrouw – universitair geschoold of niet – wettelijk ondergeschikt was aan de man. Bij de familie Cals speelde deze ongelijkwaardigheid niet. Jo Cals was immers opgegroeid in een vrouwengezin en zijn zussen wisten van wanten. Als minister van Onderwijs zorgde hij in 1953 zelf voor de benoeming van de eerste vrouwelijke bewindspersoon van Nederland: Anna de Waal, KVP-staatssecretaris van Onderwijs. Ook bij de Van der Heijdens stond de gelijkwaardigheid van de vrouw niet ter discussie, hoewel het voor Truus Cals vanzelf sprak dat zij zich aan haar gezin wijdde. Dat was een kwestie van rolverdeling, zoals die in die tijd gebruikelijk was.

Echtgenoot Jo pendelde de eerste jaren als staatssecretaris en minister nog tussen Nijmegen en Den Haag, later verhuisde het hele gezin. Vader Cals bleef desondanks de man die alleen op zondag aan het diner aanschoof. Als hij al op andere dagen thuis was, dan zat hij altijd met zijn neus in de dossiers. Hij werkte zo hard dat hij na dertien jaar op Onderwijs volgens zijn vrouw 'aan het einde van zijn krachten was.'

Zelf was ze het anker van het gezin. Man en kinderen konden altijd op haar terugvallen. Haarzelf vielen vooral de eerste jaren van Cals' ministerschap zwaar. Truus Cals had drie jongens en twee meisjes op te voeden. Gidi (1943), Noud (1945), Maria (1948), Jos (1949) en Marga (1954).

Omdat haar man als minister ook tot 's avonds laat doorwerkte, stond ze er grotendeels alleen voor. Zoon Noud werd op school geregeld uit de klas gezet. Hij paste ervoor om als zoon van de minister van Onderwijs de braafste jongen van de klas te zijn. Truus moest hem geregeld dreigen dat ze het aan zijn vader zou vertellen.

In die moeilijke jaren ondervond Truus Cals veel steun van de echtgenote van PvdA-premier Willem Drees, zo bleek in 1974 uit een condoleancebrief aan Drees. 'Van harte condoleer ik U met het overlijden van Uw lieve vrouw. Zij zal mij steeds in herinnering blijven speciaal om de hartelijkheid en goedheid die ze mij betoonde in de eerste jaren van mijn man's ministerschap, die voor mij toen heel moeilijk waren. (...) Moge God U zijn kracht schenken', schreef Truus Cals aan Willem Drees.

Voor haar man was Truus Cals het ideale klankbord. Ze liet hem altijd stoom afblazen, maar was zelf ook nieuwsgierig naar de kwesties, die hem als minister en later als premier bezighielden. Dat Truus goed op de hoogte was, bleek ten tijde van de Mammoetwet, de ingrijpende hervorming van het voortgezet onderwijs die Jo Cals als KVP-minister van Onderwijs beklonk. Truus Cals kon dochter Maria moeiteloos assisteren toen die een scriptie schreef over het huzarenstuk van haar vader.

Op het moment dat haar man die wet tijdens het laatste debat door de Tweede Kamer sleepte, was Truus Cals erbij. Samen met zoon Noud, die het toch nog tot rechtenstudent zou schoppen, zat ze in de ambtenarenloge. Daar hoorde ze hoe haar man de Kamer met lange betogen overtuigde van het nut van deze historische hervorming, die meer kinderen kansen zou bieden om door te stromen naar hoger en universitair onderwijs. Toen alles achter de rug was, kreeg ze van haar man een boeket bloemen: omdat zijn vrouw in het gedrang was gekomen door zijn zorgen om de mammoetwet.

In tegenstelling tot haar echtgenoot was Truus Cals een ochtendmens. Als Jo Cals tegen een uur 's nachts met werken ophield, lag zijn vrouw allang op een oor. Zo niet in spannende tijden. Dan bleef ze op om van hem het laatste nieuws te horen. Dit was het geval gedurende de vier weken durende formatie van het kabinet-Cals van KVP, PvdA en ARP in 1965. Die volgde ze dat voorjaar van dag tot dag. Het slaaptekort had ze er graag voor over.

In interviews zei ze altijd uitdrukkelijk dat ze zich over politieke kwesties geen eigen mening wilde aanmatigen, maar die mening had ze wel en die hield ze in gesprekken met haar man niet voor zich. In het onderwijs bijvoorbeeld vond Truus Cals karaktervorming belangrijker dan feitenkennis. 'Vroeger werden onze hoofden volgestopt met feiten, maar in de praktijk wist je die kennis nauwelijks te hanteren', zei ze in 1965.

Hoewel Jo Cals een echt haantje was, hechtte hij aan het oordeel van zijn vrouw. Dan vroeg hij: 'Truus, wat vind jij ervan?' Maar haar man sturen, lag niet in haar aard. Zelfs haar kinderen legde ze niets op. Ze leefde het leven eerder voor dan dat ze hen in een bepaalde richting dwong. Illustratief is dat de kinderen Jos en Maria op de niet-roomse school voor Individueel Voortgezet Onderwijs zaten.

Zo vrij was ze ook ten aanzien van religie. Hoe godsdienstig ze ook was, ze liet zich niet de wet door Rome voorschrijven en beleefde haar geloof op eigen wijze. Haar sterke innerlijke leven zou in de loop van de tijd alleen maar belangrijker worden, maar ze liep de kerk niet plat. Liever zocht ze de stilte op om contact te zoeken met God.

Haar kinderen belastte ze niet met haar godservaringen. Leven en laten leven, was haar motto. Toen dochter Maria met een Nederlands-hervormde man trouwde, vroeg Truus Cals alleen wat voor man hij was. Het enige wat ze niet kon laten was aan Noud te vragen wanneer hij nou toch eens ging trouwen. Truus Cals wilde graag kleinkinderen. Dat ze die nooit gekregen heeft, zorgde wel voor vertwijfeling. Zo liet ze zich wel eens ontvallen: 'Wat hebben we verkeerd gedaan?' Een verzuchting die ver gaat voor de introverte Truus Cals.

Het bereiken van de hoogste politieke post, in 1965, was voor Jo Cals, politicus in hart en nieren, de kroon op zijn werk, maar voor zijn vrouw hoefde het niet. Ze was juist gewend aan de relatieve rust die haar man had nu hij alweer twee jaar Kamerlid was. En ze zag dat die rust goed was voor zijn gezondheid; Cals was gedurende zijn carrière enkele malen ernstig ziek. Truus was bovendien niet het type om status te ontlenen aan de baan van haar man. Tot de *upper ten* behoren, was voor de professorendochter normaal, maar het deed haar niets. Ook het decorum rond het ambt zei haar hoegenaamd niets.

Daar kwam bij dat het gezin net een jaar aan de Haagse Soutelandelaan woonde, in een huis met zeven kamers midden in het groen. Een paradijsje voor natuurliefhebster Truus Cals. Had de premiersvrouw voor haar, Mini Marijnen, nog met veel enthousiasme het Catshuis ingericht als representatieve woning voor de minister-president, Truus Cals vond het vreselijk om haar heerlijke huis te moeten inruilen voor het museum dat het Catshuis in haar ogen was. Ze liet haar weerzin ook wel blijken, maar verzette zich niet tegen de onvermijdelijke verhuizing: de rechtlijnige Jo Cals redeneerde dat het Catshuis nu eenmaal de ambtswoning van de minister-president was.

Maar Truus had wel een belangrijke eis: ze wilde per se een eigen kamer om zich terug te trekken. Het werd de Opkamer, gelegen recht tegenover het Catskamertje, de werkkamer van haar man. Haar lievelingskamer lag tussen de representatieve benedenverdieping en de bovenverdieping waar de familie woonde. In het Opkamertje met zijn dikke oude vloerplanken, een oude marmeren schouw en oranje-zwarte tegeltjes kwamen haar piano en haar boeken en nam ze haar karakteristieke houding aan bij het raam, uitkijkend over de tuin. Ze las er Dostojevski, en vooral middeleeuwse mystici als Jan van Ruusbroec en Theresia van Avila. Soms had ze de tijd voor fijn borduurwerk: *petit point*. Geregeld klonk Bach of Schubert door het Catshuis. Inwonend personeel uit die tijd herinnert zich nog altijd haar verdienstelijke spel.

De nog thuiswonende kinderen vonden het prachtig. Voor de jongste, Marga, was het Catshuis een eldorado. 's Zomers diende de vijver in de tuin als zwembad en 's winters kon er in eigen tuin worden geschaatst. Truus was degene die hond Bruno altijd uitliet in park Zorgvliet, aanpalend aan de tuin van het Catshuis. Voor zoiets banaals had Jo Cals nooit tijd. Hij bemoeide zich weinig met huishoudelijke zaken. Dat gebeurde alleen als de caravan, waarmee de familie twee keer per jaar op vakantie ging, weer klaar moest worden gemaakt. Dan wilde Cals nog wel eens zelf de handen uit de mouwen steken. Er is een foto van hem waarop hij bij de caravan staat, met een hamer in zijn hand, en gekleed in kostuum.

Truus Cals kreeg als premiersvrouw veel meer representatieve taken. Dat lag haar, zo bekende ze in 1965, niet erg. 'Het is bepaald mijn vak niet.' Maar plichtsgetrouw als ze was, deed ze het allemaal: ze vergezelde haar man met tegenzin naar het huwelijk van kroonprinses Beatrix en Claus van Amsberg. Een koninklijk huwelijk was het toppunt van protocol en daar hield ze nu eenmaal niet van. Liever was ze thuis gebleven met een goed boek.

In het Catshuis waren ook aan de lopende band ontvangsten. Zo ontving ze de ambassadeursvrouwen en ook kwamen de ministersvrouwen in de tuin van het Catshuis bijeen om te praten over de ongewisheid van een bestaan in de politiek. Het blad *Margriet* maakte er in 1965 een exclusieve fotoreportage van. Een komen en gaan was het ook van buitenlandse en soms van koninklijke gasten. Truus Cals was al niet zo'n prater, maar receptiegekwebbel stond haar helemaal tegen. Converseren in het Engels of Frans viel haar extra zwaar. Tegen journalisten zei ze eerlijk dat vreemde talen haar zwakke punt waren. Ze betreurde het dat daaraan op haar Nijmeegse gymnasium zo weinig aandacht was besteed. Dat ze haar taak serieus opvatte, bleek uit het feit dat ze conversatieles nam.

Bij diners was ze bezorgd of alles goed zou gaan. 'Ik heb altijd wel van die kleine angsten als "heb ik niets vergeten?" Zie ik tegen de ontvangst van hoge buitenlandse gasten op, dan denk ik maar steeds: we zijn allemaal gewone mensen.'

Haar man, die zelf altijd de kersttafel dekte, was een pietje precies. Als Sia van der Arend, hoofd huishouding van het Catshuis, een suggestie deed voor de dinertafel was Truus Cals een en al dankbaarheid: 'Oh ja, doe dat maar, dat zal mijn man goed vinden.' Een verkeerd liggend bestek, Jo Cals had er een hekel aan, maar zijn vrouw zou het niet eens opmerken.

De bloemen in het grote huis werden door de gastvrouw zelf geschikt, alleen bij officiële diners liet ze dat aan professionals over, die het in haar ogen toch beter konden. Truus Cals was huismoeder, maar ook weer geen slaaf van haar huishouden. 'Zemen is niet mijn grootste hobby', zei ze eens. Al moest dat natuurlijk wel gebeuren. Ondanks haar sterke innerlijke leven stond ze met beide voeten op de grond. Als ze een depressieve bui had en lusteloos was, kon ze plotseling opstaan en zeggen: 'Kom op, ik moet maar eens voor het eten gaan zorgen.'

Truus Cals hield van koken en was nuchter en praktisch. Vakantie betekende voor het gezin Cals: met de caravan erop uit. Dure hotels waren aan de natuurminnende Calsen niet besteed. Zo gingen ze met Pasen traditioneel naar het Midden-Limburgse Nunhem om daar op het terrein van de bevriende familie Meddens vakantie te vieren. 's Zomers werd het meestal Frankrijk. Eenmaal op de plek van bestemming, struinde Truus de markten af om met de gekochte spullen allerlei lekkers te maken. 'Ik eet graag eens iets anders', zei ze dan, 'bij voorkeur gerechten die ik nog niet ken.' Ze was een kei in restverwerking, in prutjes, herinneren de kinderen zich.

Haar avontuurlijke kant kwam het meest tot uiting na het premierschap van haar man. Die was van 1968 tot 1970 commissaris-generaal voor de Nederlandse inzending naar de wereldtentoonstelling in Osaka, Japan. Terwijl ongedurige Jo het vliegtuig verkoos, keerden echtgenote Truus en zoon Gidi per trein vanuit Siberië terug naar Europa. Die trip paste bij haar open geest. Truus wilde altijd alles proberen.

Het premierschap van Jo Cals duurde niet langer dan anderhalf jaar. Onenigheid over het financieel-economische beleid dreef een wig tussen de KVP-fractie en de KVP'ers in het kabinet. Tijdens de dramatisch verlopen Nacht van Schmelzer van 13 op 14 oktober 1966 zag Jo Cals een motie van zijn geestverwanten in de Tweede Kamer, aangevoerd door fractievoorzitter Norbert Schmelzer, als een motie van wantrouwen. Die ochtend om tien over half vijf kondigde Cals het aftreden van zijn kabinet aan. De vergaderzaal van het parlement zinderde van de emoties. Voor het eerst werd een debat rechtstreeks op televisie uitgezonden. De kijkers bleken massaal sympathie op te vatten voor Cals; rivaal Schmelzer kwam nooit meer af van het imago van 'de gladde teckel', zoals cabaretier Wim Kan hem typeerde.

Truus Cals, die haar man na de dertien jaar op onderwijs net zo lief geen premier had zien worden, was nu woedend, al lag het niet in haar aard dat te laten merken. Met zoon Noud had ze het debat in de ambtenarenloge gevolgd, net als in 1962 bij de Mammoetwet, en in 1965, samen met zoon Gidi, bij de regeringsverklaring. Maar dit keer waren de omstandigheden minder vrolijk.

De familie stapte tegen vijven in de ochtend in de auto op weg naar het Catshuis. 'Dat was dat', constateerde vader Jo thuis bij een glaasje wijn. Maar intussen had niet alleen het sneuvelen van het kabinet, maar ook het stemgedrag van de huisvriendin van de familie Cals diepe indruk gemaakt: KVP-Kamerlid Marga Klompé, peettante van dochter Marga en Jo Cals' 'beste politieke vriend', had met Schmelzer meegestemd.

Truus Cals was aangeslagen. De 'ontrouw' van Marga Klompé liet bij de premiersvrouw een groter litteken achter dan bij haar man, die zich al snel vergevingsgezinder toonde. Maar Marga Klompé bleef bij de familie Cals komen, vooral op de verjaardag van dochter Marga. Dan kwam ze eten, om steevast halverwege de avond weer op te breken: de eerste vrouwelijke minister van Nederland had de gewoonte om tot in de kleine uurtjes door te werken.

Cals kreeg honderden steunbetuigingen. De val van zijn kabinet was ook voor Truus Cals een harde slag: zij had immers ook offers gebracht. Niet het minst door het verlaten van haar geliefde huis aan de Soutelandelaan. Daar kon ze nu niet meer naar terug. Maar dat de familie nu maar in de caravan moest gaan wonen, zoals Jo Cals na de crisisnacht op dramatische toon op televisie had gezegd, was overdreven. Het werd uiteindelijk een huis aan de Duinweg in Den Haag.

Ondanks de klap van het voortijdige einde van het kabinet van haar man, voelde Truus Cals zich allengs bevrijd uit het korset van premiersvrouw. Ze manifesteerde zich gaandeweg meer als zelfstandige vrouw. Toen haar man in beeld kwam voor het burgemeesterschap van Den Haag, wilde zij daarvan niets weten. Van ceremonieel en protocol had ze helemaal genoeg. Ze kon zich weer volop aan haar innerlijke leven wijden.

Jo Cals kwam niet meer echt aan de bak. Hij werd minister van Staat en leidde een commissie voor de herziening van de Kieswet en de Grondwet. Hoe ambitieus hij nog steeds was, dit keer werd hij overvleugeld door Andreas Matthias Donner, de mede-voorzitter, die van staatsrecht meer verstand had dan de raspoliticus Cals.

In 1971 werd Jo Cals andermaal ziek, dit keer fataal. Hij leed aan kanker. In het half jaar van de ziekte van hun vader zagen de kinderen de diepe band tussen hun ouders. Truus Cals was er gedurende die zware maanden voortdurend voor haar man. Maar ze vond zichzelf geen goede verpleegster. 'Daar ben ik niet geschikt voor,' zei ze dan.

Na zijn overlijden in 1971 hoefde het leven ook voor haar niet meer. Maar ze ging door. 'Hier op aarde moet je je leven afmaken', zei ze. En ze verhuisde naar Scheveningen, vlakbij de door haar zo geliefde zee. Ze betrok een flat met uitzicht op de golven, die ze in haar dagboeknotities jaren later zou vergelijken met de stromen in het leven zelf. Met een vriendin zwom ze vaak in zee, maar het liefst keek ze erover uit, genietend van de onweerstaanbare wolkenpartijen. Dochter Marga woonde in de flat ernaast. Ze aten soms samen, maar zaten niet op elkaars lip.

Helemaal los van haar aardse plichten – zelf sprak ze over het 'gewone mensen'-leven – kwam Truus Cals niet. Ook nu ze geen 'vrouw van' meer was, zag ze het als haar plicht om taken te vervullen. Van missie- en parochiewerk, tot flatcommissiewerk en burenhulp. 'Ik moet me dwingen van alles te doen en sociale contacten te onderhouden. Dat kost me heel veel moeite op het ogenblik', schreef ze in haar dagboek.

Om haar religieuze ervaringen te delen met anderen, bezocht ze maandelijks op zondagochtend een bezinningsbijeenkomst in Scheveningen. Over haar eigen mystieke ervaringen sprak ze niet. Troost putte ze uit Ruusbroecs geschriften over het 'versmelten in Gods liefde'. Een tekst die haar bevestigde in haar eigen ervaringen. Ze vergeleek haar eigen zijn met dat van de zee, die alleen aan de oppervlakte onrustig is. 'Maar diep van binnen is het stil en rustig en is God voelbaar zéér aanwezig.' Uit haar dagboeken stijgt een alsmaar heviger verlangen naar de dood op.

Ze had altijd aangegeven dat ze niet gereanimeerd wilde worden. Toen ze najaar 1982, 67 jaar oud, een hartaanval kreeg, wist Truus Cals dat het einde nabij was. Net als haar man dat had gedaan, regelde ze vanaf haar ziekbed op de intensive care haar uitvaart. Ze overleed op 30 oktober 1982.

Ze was een vrouw die door haar terughoudendheid

door buitenstaanders soms als kil werd ervaren, maar niet door vrienden en familie. Voor hen was ze een zachtaardige persoonlijkheid op wie nooit iemand vergeefs een beroep deed.

In de vaderlandse politiek bleef haar rol onzichtbaar. Zoals oud-KVP-premier Piet de Jong zich herinnert: 'Ze leefde meer in het spirituele en dat is niet direct iets waarover politici zich druk maken.'

Carla Joosten

foto Spaarnestad Fotoarchief

Hetty en Jelle Zijlstra

Hetty Zijlstra-Bloksma (1921)
Nieuwsgierig dorpsmeisje

Toen Heintje Bloksma in de zomer van 1937 haar vriend Jelle Zijlstra uit Oosterbierum naar Rotterdam zag vertrekken, aanvaardde zij dat dit het einde van hun liefde betekende.

Jelle, net 18, ging naar de Economische Hogeschool. Hij zou een geleerd man worden, in een wereld waarvan dorpsmeisje Heintje, geboren op 30 januari 1921 in Sexbierum, zich nauwelijks een voorstelling kon maken. In het studentenleven zou hij meisjes leren kennen die zich door hun afkomst en opleiding in die wereld thuisvoelden. Het lag voor de hand dat Jelle, de uitzonderlijk knappe kop uit een familie van kleine Friese boeren, in Rotterdam de vrouw zou vinden die hem kon steunen in het leven dat hij tegemoet ging. In de eerste jaren zag het er naar uit dat het inderdaad ging zoals zij zich bij hun afscheid voorstelden. 'Hij ontmoette studerende meisjes met wie hij uitging', vertelt de 82-jarige Hetty (de voornaam Heintje liet ze achter in Friesland) Zijlstra-Bloksma. 'Maar na een paar jaar kwam hij bij mij terug en zei dat hij met me wilde trouwen.'

In 1942 dook Jelle, afkomstig uit het nabije Oosterbierum, onder in het ouderlijk huis van zijn verloofde in Sexbierum.

Als dienstplichtig militair en student die de loyaliteitsverklaring weigerde te tekenen, moest hij zich verbergen om aan Duitse gevangenschap te ontkomen. Vader Watze Bloksma was machinist op de plaatselijke melkfabriek. In het grote gereformeerde gezin was altijd plek om mee te eten en in de oorlogsjaren hadden de Bloksma's meerdere onderduikers aan tafel. 'Die mannen hadden allerlei beroepen, dus ik kon veel van hen leren', zegt Hetty Zijlstra. Als jongste van tien kinderen was het min of meer vanzelfsprekend dat zij samen met haar moeder, Renske Feenstra het huishouden deed. Iets anders viel er voor haar niet te doen in de oorlogsjaren. 'Het was een heel gezellige tijd', zegt ze. 'We praatten veel, we lazen en we maakten muziek. Wij hebben elkaar in die tijd heel goed leren kennen. Jelle speelde orgel en ik zong graag, dus dat deden wij vaak samen.' Toch was ze ook wel blij toen zij in het laatste oorlogsjaar ook buitenshuis haar energie kwijt kon, als verpleeghulp in een noodziekenhuisje voor zieken en gewonden uit Noord-Limburg.

In 1945, direct na het einde van de oorlog, trok ze in bij haar oudere zus in Utrecht. Jelle was weer naar Rotterdam vertrokken, om zijn studie af te maken. In de weekends zochten ze elkaar op. 'Tussen Friesland en Rotterdam was in het eerste jaar na de oorlog geen treinverbinding en bovendien was het voor mij goed om in een omgeving te wonen waar Hollands gesproken werd. In Utrecht kon ik dat oefenen.' Jelle haalde in hoog tempo zijn doctoraal en werd assistent aan de Economische Hogeschool. Door het salaris dat hij daarmee verdiende, konden ze in maart 1946 trouwen. Eerst in Utrecht, voor de burgerlijke stand. Na een modderige reis langs kapotgeschoten rails, volgde het kerkelijk huwelijk in Sexbierum. Daarna vertrok Heintje Bloksma als mevrouw Hetty Zijlstra naar Rotterdam.

Dat Hetty het als dorpsmeisje met alleen maar lagere school gered heeft in de grote wereld, dankt ze volgens haarzelf aan twee dingen. Ten eerste: haar man stond altijd achter haar ('Als ze jou niet accepteren, hoef ik hen niet'). Ten tweede: ze heeft als klein kind ervaren dat ze met bijna iedereen kan opschieten. Als jongste in het grote gezin was ze 'een zwerfkatje', zegt ze. 'Het broertje dat voor mij kwam, is gestorven. Het zusje daarvoor was zes jaar ouder en had niet veel boodschap aan een kleuter, dus ik moest mezelf bezighouden. Ik scharrelde daar op het dorp rond en iedereen was aardig tegen me. Het heeft me enorm geholpen in het leven dat ik als klein kind zoveel goede ervaringen heb opgedaan.' Ze is een zondagskind, zegt ze. 'Echt waar, op zondag geboren.'

Uitsluitend vriendelijkheid ondervond zij in het leven. Zo lijkt het tenminste uit haar verhalen. Pas na flink aandringen komt er een minder vrolijke noot. Aan een diner in Bazel, waar de *haute-finance* van Europa jaarlijks bij elkaar kwam, complimenteerde iemand haar dat ze zo goed Engels sprak. Ze trekt haar wenkbrauwen op, met een gezicht van: geloof je het zelf? 'Thank you', antwoordde ze, met dat gezicht. 'Natuurlijk sprak ik niet goed Engels, dat wist ik maar al te goed. Ze waren mevrouw Holtrop gewend, de vrouw van de vorige president van de Nederlandsche Bank, die mijn man opvolgde. Zij sprak goed Engels, maar ze had dan ook in Canada gewoond. Op mijn dorp had ik niet de kans om het te leren. Zodra we getrouwd waren en in Rotterdam woonden, ging ik Engelse les nemen. Maar toen een jaar later mijn oudste dochter Irene geboren was, ging dat leren niet meer zo hard.' Na Irene (1947) volgden Annelies (1949), Ane Jelle (1950), Nynke (1957) en Sjoerd (1961).

In 1948 verhuisde het gezin, toen met twee kinderen, naar Amsterdam, waar Jelle hoogleraar werd aan de Vrije Universiteit. Opnieuw paste Hetty zich aan. 'Bescheiden, maar geen doetje', typeert een vriendin uit die Amsterdamse universiteitskring haar. In 1952 werd de 34-jarige hoogleraar Zijlstra minister van Economische Zaken. Aan de zijde van de jongste minister verscheen bij officiële gelegenheden een kleine, elegante vrouw die door de pers werd gekwalificeerd als 'een mooie Friese dame'.

Jelle bleef in drie opeenvolgende kabinetten minister en werd steeds populairder. Hetty kreeg een dienstmeisje en een garderobe om aan haar nieuwe verplichtingen te kunnen voldoen. Hij betrok haar niet bij de inhoud van zijn werk en zij bemoeide zich er niet mee. Maar ze wilde wél betrokken blijven bij zijn dagelijks doen en laten en de mensen kennen met wie hij omging. Daarom ging zij vaak met hem mee naar ontvangsten. Het inwonende 'meisje voor dag en nacht' paste op de kinderen. 'Ik was van mezelf niet lui uitgevallen, het huishouden kon ik heus wel aan, maar om 's avonds weg te kunnen was zo'n meisje in huis de beste oplossing. In het begin vond ik het naar om weg te gaan omdat de kinderen dan huilden, maar Liesje zei dat ik me daar niets van moest aantrekken, dat het snel ophield als ik uit het zicht was.' Liesje Ermerins-Kleinman heeft nog steeds contact met de 'mevrouw' bij wie zij, via een dominee, op haar negentiende in dienst kwam. Ze heeft veel van haar geleerd en ze hebben samen veel plezier gehad. 'Om zich mooi te leren bewegen, ging zij op mensendieck. Als we samen aan het aanrecht stonden, gaf ze de oefeningen die ze leerde door aan mij. Hoe je bijvoorbeeld je bekken moest kantelen om mooi recht te staan. Ik keek natuurlijk tegen haar op, maar we gedroegen ons vaak als vriendinnen.'

Een oude vriendin uit de Amsterdamse tijd, de 88-jarige Jantina Verdam-Boomsma, schetst het verschil tussen de Amsterdamse kring rond de Vrije Universiteit en de Haagse *cercle* waar Hetty zich later als ministersvrouw moest invechten. Prof. mr. P. J. Verdam, de echtgenoot van Jantina, was tegelijk met Zijlstra hoogleraar aan de VU en later minister van Binnenlandse Zaken in het kabinet waarvan Zijlstra premier was.

De Vrije Universiteit was nog klein. Zijlstra en andere jonge docenten woonden met hun gezinnen vlak bij elkaar in Amsterdam-Zuid. Na de zondagse kerkdienst dronken ze koffie bij elkaar thuis en ze gingen ook wel samen met vakantie. De studenten deden bij de professoren thuis tentamen en als er een voor zijn doctoraal geslaagd was, werd dat in de jaren '50 nogal eens bij een van de jonge hoogleraren thuis gevierd. 'Het is moeilijk uit te leggen hoe klein de wereld waarin wij leefden toen nog was', zegt mevrouw Verdam. Ze hadden de oorlogsjaren achter zich, eten en kleding waren nog op de bon, de jonge hoogleraarsgezinnen leefden zeer sober. 'Hetty is mij nog eens komen helpen toen het mij met m'n zeven kinderen over het hoofd liep.' Jantina Verdam, die uit een lerarenfamilie kwam en onderwijzeres was, heeft grote bewondering voor de manier waarop Hetty Zijlstra zich ontwikkeld heeft. 'Ze heeft haar man reuze goed gesteund. Jelle kon met haar voor de dag komen. Ze is mooi en bescheiden en bovendien een intelligente vrouw die heel snel dingen oppikt.' Daardoor viel het niet op dat Hetty minder opleiding had dan de meeste vrouwen in het Haagse wereldje.

Dochter Irene herinnert zich hoe ze als tienjarige met haar moeder meeging om de eerste avondjurk te kopen. Bij Sträter, in de Amsterdamse Kalverstraat. 'Ik moest zeggen welke wel en niet stond.' De reeks 'beroepskleding' die daarop volgde, kwam van dezelfde zaak. Jelle hechtte veel belang aan vrouwelijk schoon in het algemeen en dat van zijn echtgenote in het bijzonder. 'Ze mocht van hem geen vestjes dragen', vertelt een oude vriendin. Daar hield hij niet van, omdat het de vormen verhulde.

'Een knappe vrouw, zo helemaal niet uit Sexbierum, vinden wij', noteert op 20 juni 1959 het katholieke dagblad *De Tijd*, op bezoek bij de minister van Financiën en voorman van de Anti-Revolutionaire Partij. 'Zij is niet alleen knap, maar vooral beminnelijk en charmant en met een gezicht waar de tevredenheid afstraalt.' Zij presenteerde de journalist een sigaret en schonk een kopje koffie in. 'De koffie is waarlijk voortreffelijk', noteert de gast. Zo heeft Hetty Zijlstra tientallen jaren gesprekspartners van haar man thuis ontvangen, met charme, goede koffie en een klein porseleinen schoteltje met een vers koekje.

Op 13 november 1966 rinkelde bij Zijlstra thuis de telefoon: 'Met Beel. Je begrijpt zeker wel waarvoor ik bel.' Beel was informateur. Zijlstra, sinds 1963 in rustig vaarwater als lid van de Eerste Kamer, begreep dat hij er niet onderuit kon om premier te worden van een interim-kabinet. Vervroegde verkiezingen behoorden tot de opdracht van dit kabinet. Die vonden plaats in februari 1967, op het hoogtepunt van Zijlstra's populariteit. De ARP boekte twee zetels winst. Ondanks aandringen weigerde Zijlstra zich opnieuw beschikbaar te stellen. Hij verliet voorgoed de politiek om president-directeur van de Nederlandsche Bank te worden. 'Hij was de politiek zat', zegt Hetty Zijlstra. 'Hij wilde weer econoom zijn. Dat vak had hij gestudeerd en daar lag zijn hart.'

Toen Zijlstra in november 1966 premier werd, had hij al elf jaar politieke verantwoordelijkheid als minister achter de rug. Een glanzende politieke carrière die hem makkelijk afging, maar die hij nooit echt ambieerde. 'De politiek is voor mij een opwindende, fascinerende, maar tijdelijke pleisterplaats geweest', noteert hij in 1992 in zijn memoires. 'Ik heb daar in tenten gewoond; het huis van mijn leven heb ik elders willen bouwen.'

Hetty had geen moeite met haar rol als ministersvrouw. Integendeel: zij genoot van de feestelijke uitjes en de contacten met het Koninklijk Huis die eraan verbonden waren. Jelle schermde het gezin af tegen de spanningen die het politieke leven meebracht en nam zelden werk mee naar huis. Toen hij minister-president was, werd dat anders. Voor het eerst maakte Hetty mee dat haar man doodmoe kon worden van zijn werk. Als premier hield hij de portefeuille Financiën erbij. De combinatie viel hem zwaar.

Hetty is maar vier maanden *first lady* geweest (22 november 1966 tot 5 april '67) en daar is ze niet rouwig om. 'Het is de enige tijd geweest dat we achtervolgd werden door de pers. Ze zwermden om ons huis heen om te kijken wie er op bezoek kwam. We hadden een truc: vanuit ons huis reden we richting Wassenaar, dan dachten ze dat we naar ons huisje in Friesland gingen, dus dan haakten ze af. Maar dan reden wij naar het Catshuis en bleven daar het weekend slapen.'

Op oudejaarsavond 1966 sliepen ze wél in hun Friese vakantiehuis 'De Tike'. De minister-president was zo moe dat hij al om acht uur onder zeil ging. De volgende dag zong het hele land 'Waar we heen gaan, Jelle zal wel zien', het refrein van het lied van Wim Kan, dat nog tot het aantreden van de nieuwe regering (5 april) zou blijven rondzingen. 'Ik geloof dat ie het over mij gehad heeft', zei Jelle tegen Hetty toen ze die oudejaarsavond in De Tike nog half versuft het einde van de conference van Wim Kan hoorden. 'We hadden de wekker gezet om naar Kan te kunnen luisteren, ik geloof om tien uur. Maar we waren niet goed wakker geworden.'

Oudste dochter Irene, toen 19, was op wintersport en wist bij terugkomst niet wat haar overkwam: iedereen bezong haar vader. Ze had nooit stilgestaan bij zijn populariteit. 'Tussen Rodeschool en Terneuzen', placht hij zelf te zeggen als het ging over zijn roem. Van zijn minister-presidentschap staat Irene voornamelijk bij dat haar ouders het erg druk hadden, zodat zij als oudste veel moederde over haar jongste zusje en broertje, terwijl zij in dat jaar toch ook eindexamen gymnasium moest doen. Irene, Annelies en Ane Jelle vonden het als middelbare scholieren wel interessant dat het Catshuis 'van hun' was en gingen er tussen de middag vaak lunchen, ook omdat het dicht bij hun school was: bij 'het meisje van het Catshuis' in de keuken, die vond dat gezellig.

In Marlot, de aan Wassenaar grenzende wijk waar de familie ging wonen toen Zijlstra voor de tweede keer minister werd, hebben de kinderen zich nooit goed thuis gevoeld. 'De arrivé-bewoners bekeken ons als *nouveau riche*', zegt Irene. 'Wij kwamen uit Amsterdam, dus *nouveau* waren we wel, maar niet *riche*, dus vielen we overal buiten.

We telden daar niet mee. Totdat pappa minister-president werd. Toen werden er plotseling bloemstukken bezorgd van buurtbewoners, met briefjes dat ze het zo waardeerden dat we niet in Catshuis gingen wonen. Het was statusverhogend om de minister-president in je buurt te hebben.' Het kwam bij Hetty niet op om te verhuizen naar het Catshuis: ze wist dat haar man zo kort mogelijk premier wilde zijn. Als lid van de Eerste Kamer (sinds 1963) was hij in '66 benaderd om Holtrop op te volgen als president-directeur van de Nederlandsche Bank. Zoals bij alle vorige stappen in zijn carrière, legde zij hem niets in de weg.

Irene Zijlstra (juriste, gespecialiseerd in staatsrecht) was dertien toen zij het vrije leven in de Amsterdamse Concertgebouwbuurt moest inruilen voor het keurslijf van de Haagse standenmaatschappij. 'In Amsterdam was het totaal oninteressant dat je een kind van een minister was. Toen mijn moeder voor het eerst de andere ministersvrouwen op de thee kreeg, was ik negen. Ik deed niets liever dan op straat spelen en dat was ik ook die middag aan het doen. Er kwamen allemaal grote zwarte auto's voorrijden en daar stapten oude dames uit, in donkere kleren. "Is er iemand dood bij jullie?" vroeg een buurmeisje.' Tot Irene's verbazing was het in Den Haag opeens verschrikkelijk belangrijk wat je vader deed. 'Er was geen ontsnapping meer mogelijk.' Annelies, de tweede dochter, laat in haar roman *Bleu* (geschreven onder het pseudoniem Anne Wiarda) een tienermeisje struikelend haar weg vinden in de doolhof van Haagse adel en oud en nieuw geld. Een scherp en soms hilarisch verhaal.

Ook al voor de verschijning van dat boek was het Hetty Zijlstra wel duidelijk dat de verhuizing naar Den Haag voor haar kinderen geen pretje was. Zelf was Hetty ook gehecht aan de vriendenkring in Amsterdam. 'Maar Jelle moest alsmaar heen en weer reizen en hij leefde in Den Haag in een hele andere wereld, die ik niet goed meer kon volgen vanuit Amsterdam. Het was daar overal "Ha, Jelle" en tegen mij een afgemeten knikje: "Dag mevrouw." ' Zij wilde de mensen kennen met wie hij omging. Dus verhuisde het gezin naar Den Haag en deed Hetty haar best om nieuwe kennissen te maken. Ze leerde golfen, was lid van een leesclub en deed vrijwilligerswerk voor de gereformeerde kerk, waar zij na een paar jaar ouderling werd.

'Ze had het er wel eens moeilijk mee, maar ze redde zich altijd wel', zegt Roelina Eisma-Mulder (80), een vriendin die de entree in Den Haag meemaakte. Haar man, studievriend van Jelle uit Rotterdam, werkte bij het ministerie van Financiën. 'Soms stond zij aan de ene kant van de zaal te gebaren tegen Jelle of hij wilde komen omdat er iemand Frans tegen haar stond te praten en dan wuifde hij terug van: je zoekt het maar uit. Nou dat deed ze dan. Ze is een flinkerd.'

Ook in Den Haag bleef Hetty met haar 'meisjes voor dag en nacht' omgaan zoals ze altijd gedaan had, namelijk als gelijken. 'Ze spraken alleen Fries als er familie op bezoek kwam', herinnert zich het Amsterdamse dienstmeisje Liesje. 'Dan zei mevrouw: "Je moet ons niet kwalijk nemen, maar nou kan je ons niet verstaan want nou gaan we Fries praten." '

'Mijn ouders zijn uit Friesland geëmigreerd naar de Randstad en ze hebben het hier ver gebracht', zegt Irene, 'maar in wezen zijn het altijd hele gewone Friese plattelandsmensen gebleven, die vaak samen moesten lachen om situaties waarin ze terechtkwamen.' Van die echtelijke binnenpretjes heeft de buitenwereld nooit iets gemerkt, want ze gedroegen zich uiterst professioneel.

'Als je op een dorp opgroeit, heb je geen last van standsverschil', zegt Hetty Zijlstra. 'Je was wie je was en de mensen werden beoordeeld op hoe ze zich gedroegen. Natuurlijk waren er in Sexbierum ook grotere en rijkere huizen dan het onze, maar daar kwam je gewoon binnen.'

Als vrouw van de minister-president en – vanaf 1967 – de directeur van de Nederlandsche Bank, praatte zij met haar disgenoten op dezelfde open manier als destijds met de onderduikers. 'Er zit iemand links van je en iemand rechts en aan het begin van de maaltijd ken je ze niet, maar aan het eind wel.'

Van de vele hooggeleerde tafelheren heeft zij heel veel opgestoken, zegt zij. Van haar man ook? 'Nee. Die was blij als hij thuis was. Dan dook hij achter het orgel of zo, in ieder geval had ie dan geen zin om mij over economie te vertellen. Hij zette zijn tas met stukken bij de deur en pakte hem op als hij weer naar het ministerie ging. Andere ministersvrouwen klaagden er altijd over dat hun man zoveel uren thuis zat te werken. Dan zei ik maar niet dat dat bij ons niet zo was. Jelle werkte nou eenmaal heel erg snel.'

In het Wassenaarse appartement waar zij sinds begin jaren '80 met haar man woonde en waar hij 23 december 2001 stierf, loopt ze langs wat foto's. In zijn werkkamer hangt aan de wand een staatsieportret van het derde kabinet-Drees, waarin Zijlstra de jongste minister was. Op de voorgrond drie koninginnen: Wilhelmina, Juliana en Beatrix. Behalve de drie dames van Oranje, staat er maar één vrouw op: Marga Klompé, in 1956 de eerste vrouwelijke minister van Nederland. 'Je valt me mee', zei Marga tegen Hetty, toen ze voor een werkgesprek bij hen thuis op bezoek was. 'Jelle en ik hebben daar zo om gelachen... Zoiets denk je, maar zeg je niet. Zij wel, zij was heel eerlijk. Daar hou ik van, ik kon het goed met haar vinden.'

De werkkamer ziet eruit alsof hij er elk moment kan terugkomen. De laatste jaren van zijn leven zat hij er zelden meer. Een snelle vorm van dementie maakte hem volkomen afhankelijk van zijn vrouw.

Bij de foto's van haar vijf kinderen vertelt ze hoe die altijd 'gewoon' wilden zijn. 'Ik zat een keer met Ane Jelle in de tram en toen stootte hij me aan omdat we langs een groot portret van Jelle reden, op een verkiezingsaffiche. Hij was best trots, maar hij zei niet hardop: "Kijk, daar is pappa." '

Zelf is zij 'dat bijzondere maar gewoon gaan vinden', concludeert ze. 'Er zat niks anders op.' Uiteindelijk heeft ze vaak genoten van haar rol als echtgenote van een vooraanstaand man. Vooral in de jaren '67 -'81, toen Zijlstra directeur van de Nederlandsche Bank was en president van de Bank voor Internationale Betalingen te Bazel. En ook nog daarna, toen hij als commissaris en adviseur van verschillende grote bedrijven veel reisde. Trots zegt ze: 'Ik heb een olieplatform gedoopt en ik heb schepen te water mogen laten, zelfs in Japan. Jelle en ik hebben samen veel van de wereld gezien.'

Ineke Jungschleger

foto privé-bezit familie De Jong

Het gezin De Jong, van links naar rechts: Anneke, Jos, Maria,
Piet en Gijs

Anneke de Jong-Bartels (1915)
Zorgzame Marva

Als het aan Anneke de Jong had gelegen, was haar man bij de marine gebleven en uiteindelijk admiraal geworden. Het liep anders. Onderzeebootcommandant Piet de Jong belandde in de politiek en zijn vrouw vond dat 'eigenlijk maar half', denkt hij. Ook De Jong zelf heeft altijd benadrukt dat hij geen politieke ambities had en het liefst wilde varen. Toch werd hij niet alleen staatssecretaris (1959-1963), maar ook minister (1963-1967) en zelfs premier (1967-1971). Een echte *first lady* heeft Anneke de Jong zich nooit gevoeld, wat niet wilde zeggen dat ze zich onttrok aan de verplichtingen die aan die positie verbonden waren. Sterker, de zeer zorgzame Anneke nam die verantwoordelijkheid uiterst serieus – als haar gezondheid dat toeliet tenminste.

Anna Gertruida Johanna Henriëtte Bartels werd, als middelste van drie kinderen, op 6 januari 1915 geboren in Nijmegen. De lagere school bezocht ze bij de nonnen. Daarna volgde ze niet de katholieke, maar de rijks-HBS voor meisjes, omdat haar vader, zelf muziek- en spraakleraar aan het Canisiuscollege voor katholieke jongens, het katholieke meisjesonderwijs te slecht vond. Het was een opmerkelijke stap voor deze klassiek-katholieke familie. Vader Jos Bartels was een zelfstandige man, die zich niet zomaar de wet liet voorschrijven. Katholiek is het gezin Bartels overigens gebleven. Haar oudere broer werd dominicaan en ook zijzelf is altijd gelovig gebleven.

De kleine Anneke, toen nog Anna genoemd, was veel ziek. Ooit voorspelde een arts dat ze niet ouder dan acht jaar zou worden. Inmiddels is ze 89, stellen echtgenoot Piet en dochter Maria enigszins triomfantelijk vast. Haar zwakke gezondheid legde haar al op jonge leeftijd beperkingen op. Ze kon nooit meedoen met sporten op school. Toch weerhield dat haar niet van een actief bestaan. Ze ging bijvoorbeeld, als een van de eerste katholieke meisjes, bij de padvinderij, waar ze kort jeugdlid was en al snel doorgroeide naar leidster, akela. In 1937 bezocht ze de Wereld Jamboree in Vogelenzang. Bij de padvinders ontpopte ze zich tot een initiatiefrijke, en bovenal sociaal betrokken vrouw. Het zorgen voor anderen werd haar tweede natuur, en dat is nooit meer overgegaan, benadrukt iedereen die haar goed kent. Het was dan ook geen toeval dat ze na haar eindexamen de verpleging in wilde. Maar haar gezondheid stond ook dat in de weg. Het werd de school voor maatschappelijk werk in Amsterdam. Ze leerde gezinnen hoe je een huishouden runde; geweldig vond ze dat. De twintigjarige studente mocht van haar ouders niet in het verre Amsterdam gaan wonen en werd ondergebracht bij een oom en tante in Haarlem. Toen de oorlog uitbrak, moest ze van haar vader terug naar Nijmegen. Ze ging als maatschappelijk werkster aan de slag in de Maartenskliniek, tot die door de Duitsers werd gevorderd.

Sociale betrokkenheid en een afkeer van onrecht waren haar belangrijkste drijfveren om het verzet in te gaan. Piet de Jong: 'Ze had een hekel aan die Duitsers en wilde alles doen om hen dwars te zitten.' Haar jongere zus had net een tweeling gekregen en moest daarom stoppen met haar werk voor de Geheime Dienst Nederland (GDN). Anneke nam het stokje over. Al snel werd ze koerierster voor de verzetsgroepering. Ze zat de hele dag in de trein en stapte op stations uit om boodschappen af te geven. Later deed ze dit per fiets – van haar woonplaats Amsterdam naar Haarlem of Rotterdam. Ze zag er volgens haar zusje niet uit in die tijd: een grijze jas, een oud tasje. 'Ze moest onzichtbaar zijn, vooral niet opvallen. Ze is de oorlog als een soort muis doorgekomen', zegt Piet. Haar schuilnaam – Anna werd Anneke – zou ze blijven houden, ook voor haar man. Ondanks haar voorzichtigheid belandde ze soms in gevaarlijke situaties. Met een radio in een koffer stapte ze eens een Duitse trein in. 'Na aankomst is ze thuisgebracht door een Duitse soldaat die nota bene haar koffer droeg', weet Maria. 'Ze haalde ook geld op voor het verzet', zegt Piet, 'ze fietste soms wel met veertigduizend gulden in haar koffertje.' Haar nauwgezette koerierswerk en het (de)coderen van berichten viel op bij de leiding van de GDN, die haar in maart 1945 opnam in het vijfkoppige Centraal Bestuur. In de ervaringen die ze na de oorlog op schrift stelde, zwaaide ze vooral haar collega-koeriersters lof toe.

Na de oorlog praatte Anneke weinig over haar belevenissen in het verzet. Pas op aandringen van prins Bernhard vroeg ze het oorlogsherinneringskruis aan. Haar vriendin Conny Hijmans: 'Ik begreep pas veel later dat ze echt wel iemand was in die verzetsgroep.' Dochter Maria kan het beamen. 'Toen wij ouder werden, vroegen we er zelf naar. Maar vervelende dingen vertelde ze nooit. Later kreeg ze angstdromen, kwamen de nare herinneringen naar boven. Die oorlog heeft er natuurlijk ingehakt.' Anneke had ook nog eens haar moeder, Elisabeth Luijckx, verloren, die na een bombardement aan longontsteking overleed. Maar van verdriet liet ze nooit veel blijken. De sfeer vlak na de oorlog was er een van 'aanpakken en opnieuw beginnen' en daar voelde Anneke zich uitstekend bij thuis. Ze wilde wat doen.

Die houding bracht haar in contact met een nieuwe wereld, waarin ze haar toekomstige echtgenoot zou ontmoeten. De Nederlandse regering in Londen had plannen ontwikkeld voor een Marine Vrouwen Afdeling (Marva). Vrouwen werden belast met administratieve taken, zodat mannen zich op militaire zaken konden concentreren. 'Maak een man vrij voor de vloot', was het motto. Niet iedereen was gelukkig met vrouwen in uniform. Een van de hardnekkigste tegenstanders was de rooms-katholieke geestelijkheid, die wees op de 'godsdienstige en zedelijke gevaren' waaraan de meisjes ten prooi konden vallen. Op voorwaarde dat katholieke officieren een oogje in het zeil konden houden, gingen de bisschoppen uiteindelijk akkoord. Anneke leek met haar padvinders- en verzetsverleden en haar katholieke achtergrond een ideale kandidaat voor de Marva. Jeanette Geldens, secretaresse van koningin Wilhelmina, die Anneke kende vanuit het verzet, stuurde nog een aanbevelingsbriefje en de benoeming was een feit. Plagerig werd ze door familie en vrienden 'het meisje van de bisschoppen' genoemd. Marva werd je evenwel niet zomaar; de vrouwen moesten over 'een onkreukbare levenswandel en karaktervastheid' beschikken.

In augustus 1945 vertrok Anneke naar het Marva-opleidingscentrum in Engeland. Hier raakte ze bevriend met Conny Hijmans: 'Anneke was wat ouder dan de meesten van ons, had daardoor een natuurlijk overwicht. Elke drie weken ving ze een nieuwe lichting Marva's op en voor hen was ze een steun en toeverlaat.' Terug in Nederland, werd ze oprichter en leidster van het Rotterdamse Marvahuis, waar dertig Marva's waren gehuisvest. Het werk in het huis nam ze heel serieus, weet Hijmans. 'Ze kon streng zijn maar wilde ook het beste voor de meisjes.' Als officier werd Anneke geacht met mannelijke officieren te lunchen, en niet met 'haar vrouwen'. In 1946, tijdens een personeelsfeestje in de officiersmess, leerde ze Piet de Jong kennen. De drie maanden jongere De Jong was de hele oorlog 'buitengaats' geweest en werkte inmiddels bij de onderzeedienst in Rotterdam. Al in 1947 trouwden ze, eerst voor de burgerlijke stand in Den Haag en later voor de kerk in Nijmegen. Het huwelijk betekende het onverbiddelijke einde van het Marva-avontuur.

Het prille echtpaar vond in de Haagse Prins Mauritslaan een bescheiden onderkomen: twee kamers en een klein keukentje. Hier werden hun drie kinderen geboren: Maria (1948), Jos (1949) en Gijs (1952). Het opvoeden van de kinderen en het huishouden kwam voor het grootste deel op de schouders van Anneke terecht. Dat was eens te meer het geval toen haar man na een aantal jaren bureauwerk weer ging varen. Piet de Jong was soms maandenlang van huis, ver weg van zijn vrouw en de kleine kinderen. 'Zij runde toen de hele tent; ze deed het eigenlijk allemaal alleen', realiseert hij zich. In 1953 verhuisde het gezin naar Engeland, waar Piet een functie kreeg bij de NAVO-bevelhebber. Anneke beleefde in het dorpje Fishbourne gelukkige tijden, weet haar dochter. 'Mijn vader was 's avonds thuis en de nare oorlogsdromen verdwenen ook grotendeels.' Toch zou de oorlog altijd een rol blijven spelen: als het gezin op vakantie ging naar Zwitserland, reisde Anneke alleen, buiten Duitsland om.

Twee jaar later werd De Jong adjudant van de koningin. Bij gebrek aan een woning belandde het gezin in een pension in Laren. Vader en dochter De Jong denken er met enig afgrijzen aan terug. Piet: 'Niets is erger dan met een gezin met kleine kinderen in een pension wonen.' Maria: 'Mijn moeder was daar ongelukkig.' Na negen maanden kwam in Hilversum een woning beschikbaar. Anneke bloeide weer op, ontwikkelde een grote vriendenclub en had, ondanks de zorg voor gezin en huishouden, ook nog oog voor anderen. Piet: 'Ze had altijd een kringetje stakkers om zich heen, meestal ouden van dagen die alleen waren, en om wie ze zich bekommerde. Dan belde ze op of ze ging bij hen langs.' Ook Maria herinnert zich tal van 'nooddruftige dames' met wie 'iets was' en die daarom 'aan huis kwamen', bijvoorbeeld een huishoudster met een lamme arm die nergens terecht kon en een meisje dat onverwacht zwanger was geworden. Volgens Conny Hijmans is haar trouwe en zorgzame vriendin altijd erg serieus geweest, zelfs een beetje zwaartillend. 'Maar de grappen en grollen van Piet compenseerden dat weer mooi.'

Op 7 juni 1959 zou de onderzeeër *Gelderland* onder commando van kapitein-ter-zee De Jong meedoen aan een NAVO-oefening bij Schotland, toen een telegram arriveerde waarin de chef marinestaf hem verzocht onmiddellijk huiswaarts te keren. Het kabinet-De Quay zocht een KVP-staatssecretaris voor marine en dacht hierbij aan De Jong. De verbaasde De Jong was geen lid van de KVP, maar dat bleek geen beletsel: hij was toch katholiek? De bedenktijd die hij kreeg, benutte hij voor overleg met zijn vrouw. Anneke was bepaald niet enthousiast. Ze betwijfelde of haar man in de politiek net zo gelukkig zou zijn als bij de marine en zag op tegen de gevolgen voor het gezinsleven. 'Maar echt verzet heeft ze niet geboden', zegt Piet. Maria: 'Daar was ze heel nuchter in. Haar houding was: "als jij vindt dat je het moet doen, dan moet je het maar doen".' In de *Nieuwe Apeldoornse Courant* liet ze monter optekenen: 'Mijn man is zo in hart en nieren Marineman, dat hij ongetwijfeld "ja" zal zeggen, als hij zijn marine op deze wijze nog meer dan voorheen kan dienen.' 'Ja' zei hij inderdaad. Anneke vond het haar plicht om hem waar nodig terzijde te staan. Als ze voor 'de dienst', zoals ze dat in marinetaal noemde, naar recepties ging, deed ze dat zonder te klagen. Maar enthousiast was ze nooit bij dat soort gelegenheden.

Aanvankelijk woonde Piet de Jong alleen 'op kamers' in Den Haag. Spoedig zou de staatssecretaris echter met zijn gezin een bijzondere woning betrekken. De intendant van het hof had De Jong in 1960 gewezen op het gerestaureerde en door architect Pieter Post ontworpen koetshuis van Huis ten Bosch. Het stond leeg en het gezin De Jong kon het huren. Anneke viel meteen voor het idyllische plekje in het Haagse Bos. Ze had er een heerlijke tijd. De kinderen konden hun gang gaan en zij had haar privacy, waar ze zeer aan hechtte. Journalisten werden afgeschrikt door een bordje 'verboden toegang'. 'Het onopvallende gezin De Jong woont vorstelijk in de schaduw van een koningshuis', schreef De Telegraaf in 1964, toen De Jong inmiddels minister was. Hoe speciaal ook de omgeving, de De Jongs bleven heel gewoon. Anneke vond het prachtig dat de kinderen bij

Maria op school dachten dat Piet de tuinman van Huis ten Bosch was. Soberheid was troef. Conny Hijmans: 'Ze was erg gehecht aan huis en haard en luxe hoefde absoluut niet. Omdat het koetshuis afgelegen lag, heeft ze op een gegeven moment een piepklein Fiatje gekocht, zodat ze wat mobieler was. Maar dat moest je haar echt aanpraten, dat kwam niet uit haar zelf.'

In 1967 moest Anneke haar geliefde koetshuis verlaten, volgens haar dochter 'met pijn in het hart'. Piet de Jong had het minister-presidentschap aanvaard en voelde zich moreel verplicht met zijn gezin in het Catshuis te gaan wonen. 'Er was nog woningnood en het zou geen pas geven het Catshuis vier jaar lang leeg te laten staan', aldus De Jong. 'Het Catshuis roept wel. Het lokt niet', liet hij in die dagen weten. Nu: 'De begane grond voor ontvangsten en vergaderingen ging nog wel, maar de woonvertrekken op de eerste verdieping waren klein en ongezellig. Een beetje bedompt. Het was ook niet erg praktisch met die schuine daken.' Anneke vond het Catshuis ook maar niets. Maar de verhuizing van koets- naar Catshuis was niet het enige waar zij tegenop zag. Het premierschap van haar man betekende voor haar immers meer representatieve verplichtingen, meer belangstelling van de pers en minder privacy. Conny Hijmans: 'Ik denk dat ze het een hard gelag vond.' Ook Sia van der Arend, hoofd huishouding van het Catshuis, merkte dat het bestaan van premiersvrouw Anneke 'behoorlijk tegenviel. Het maakte haar wat onrustig.' KVP-Kamerlid Bogaers feliciteerde in een briefje aan De Jong 'ook Anneke van harte met het *first ladyship*, met hoeveel gemengde gevoelens zij ook tegen deze functie mag aankijken.'

'Het gezin De Jong was behalve voor familie en goede

vrienden een gesloten cirkel. Dat wilde Anneke zoveel mogelijk vasthouden, ook toen haar man premier was', zegt Conny Hijmans. Anneke wilde geen interviews en werkte zelden mee aan publicaties. Het damesblad *Libelle,* dat informeerde naar het favoriete avondmaal van de *first lady*, kreeg geen antwoord. Ook *Eva – weekblad voor de vrouw*, dat Anneke een vragenlijst wilde voorleggen over 'onderwerpen die gemeenlijk worden aangeduid met human interest' en verzocht om een foto 'teneinde de presentatie te verlevendigen', kreeg nul op het rekest. De Jong vroeg zijn secretaresse te antwoorden 'dat mevrouw De Jong aan dit soort enquêtes nooit meedoet.' Op 8 april 1967, enkele dagen na de beëdiging van het kabinet-De Jong, wist het *Brabants Dagblad* zelfs te melden dat Anneke de andere ministersvrouwen had geadviseerd zeer terughoudend te zijn in perscontacten. 'Op advies van mevrouw De Jong: vrouwen van ministers mijden contacten met de pers', luidde de kop. Het was volgens de krant het goede recht van mevrouw De Jong om gesloten te zijn over haar privéleven. 'De invloed van Nederlands *first lady* reikt echter al zover dat ook de vrouwen van de overige dertien ministers ten aanzien van het persoonlijk leven van het ministersgezin een slot op de mond hebben geplaatst.' Wat volgde was een verwijzing naar een interview met de vrouw van minister Lardinois; kennelijk hield niet iedereen zich aan het advies van mevrouw De Jong. De vrouw van CHU-minister Udink kan zich de wijze raad van Anneke nog goed herinneren: 'Ik was er wel blij mee.'

Anneke nam meer initiatieven. Al snel nadat haar man premier was geworden, organiseerde ze samen met mevrouw Luns een bijeenkomst voor alle ministersvrouwen in het

Catshuis. Hierin zette ze vooral voor de nieuwelingen de 'mores' uiteen die nu eenmaal bij de positie van ministersvrouw hoorden. Volgens Maria ging het met name om kledingvoorschriften: 'welke handschoenen en hoedjes je bij welke gelegenheid moest dragen en dat soort zaken.' Mevrouw Udink bevestigt dat. 'Ze legde ons bijvoorbeeld uit dat als je man in smoking ging, jij in het lang moest, terwijl tot dan toe juist kort was voorgeschreven.' Het samenzijn van de vrouwen beperkte zich niet tot deze praktische wenken. Op instigatie van Anneke organiseerde iedere ministersvrouw een uitstapje op het beleidsterrein van haar echtgenoot. 'Dat waren gezellige en nuttige bijeenkomsten', herinnert mevrouw Udink zich, 'Mevrouw De Jong was er de drijvende kracht achter. Dat vond ze haar verantwoordelijkheid als vrouw van de premier.' De meeste ministersvrouwen kwamen ook regelmatig bij Anneke over de vloer. Dan werden ervaringen uitgewisseld. Ook haar eigen representatieve verplichtingen nam Anneke, ondanks al haar reserves, uiterst serieus. Zo was ze dagen in de weer voor een ontvangst van alle ambassadeurs op het Catshuis.

In augustus 1967 – De Jong was nog maar een paar maanden premier – nam het leven van Anneke een dramatische wending. Ze viel van de trap in het Catshuis, kwam ongelukkig terecht en had last van haar been. De arts dacht dat bedrust voldoende was voor herstel, maar ze kreeg trombose en werd korte tijd later met een longembolie opgenomen in het ziekenhuis. De situatie werd kritiek. Haar man: 'Ik werd op een gegeven moment midden in de nacht gebeld, of ik naar het ziekenhuis wilde komen. De specialist zei dat ze nog twintig minuten, hooguit een half uur te leven had.' Wonder boven wonder overleefde ze. Het herstel vergde veel en duurde lang; bijna een jaar heeft ze in verschillende ziekenhuizen gelegen. De premier probeerde haar dagelijks te bezoeken. 'Dat was natuurlijk vrij zwaar. De staatszaken gingen gewoon door en het minister-presidentschap was nieuw voor mij.' Een vriendin van Anneke kwam op de kinderen passen en het huishouden doen. 'Die kwam 's ochtends aan het ontbijt en bleef tot iedereen er 's avonds weer was. Zonder haar was het allemaal niet gelukt', weet De Jong.

Langzaam maar zeker krabbelde Anneke weer op, maar ze bleef erg verzwakt. De nare oorlogsherinneringen, die naar de achtergrond waren verdrongen, kwamen weer terug. Ondanks verwoede pogingen de ziekte van mevrouw De Jong niet aan de grote klok te hangen – zelfs haar vriendin Conny Hijmans wist lange tijd niet hoe ernstig het was – meldde *De Telegraaf* in een klein berichtje dat 'mevrouw De Jong de zomermaanden ziek heeft doorgebracht.' Haar afwezigheid bij officiële plechtigheden begon op te vallen. Een briefschrijvende burger permitteerde zich de 'zeer intieme vraag of de toestand van uw vrouws gezondheid is verbeterd.' 'De ziekte van zijn vrouw was natuurlijk een tragisch aspect aan het minister-presidentschap van De Jong', zegt oud-minister Udink, die Anneke omschrijft als een 'aimabele, flinke en markante vrouw'. Aan de meeste verplichtingen kon ze niet meer meedoen. Slechts een enkele keer, bijvoorbeeld bij de viering van 25 jaar bevrijding, verscheen ze in het openbaar aan de zijde van haar man. Soms werd haar rol overgenomen door Maria. In de uitstapjes voor de ministersvrouwen, aanvankelijk een keer per maand, kwam na de ziekte van Anneke snel de klad.

Was haar man al een buitenstaander in de politiek – pas als staatssecretaris werd hij lid van de KVP – Anneke had er nog minder mee op. 'Dat wil zeggen', nuanceert de oud-premier, 'met partijpolitiek.' 'Ze was wel heel sociaal bewogen en had over veel dingen een mening, maar van het partijpolitieke gedoe moest ze niets hebben. Ik weet zelfs niet wat ze stemde, daar hadden we het nooit over.' Politieke kwesties besprak De Jong zelden met zijn vrouw. De premier hield werk en privé gescheiden. In zijn biografie vertelt hij niet zonder trots dat hij nog geen uur slaap heeft gemist door politieke beslommeringen. Fameus en veel geciteerd is de piepersanekdote. De Jong zou naar aanleiding van het wekelijkse tv-gesprek met de minister-president hebben gezegd: 'Als ik op de buis was, wist mijn vrouw dat ik over een half uurtje thuis zou zijn. Dan kon ze de piepers vast opzetten.' Dat piepersverhaal is echter onjuist. De Jong heeft het woord piepers naar eigen zeggen nooit in de mond genomen. Wellicht heeft de journalist de huiselijkheid van de De Jongs wat al te zeer willen benadrukken.

De zaterdagmiddag en de zondagochtend waren voor het gezin. Dan werd vooral gewandeld en gezeild. Slechts een enkele keer was de politiek zo dringend, dat De Jong zijn vrouw op zaterdag meenam naar een politieke bespreking, zoals blijkt uit het dagboek dat hij schreef over de formatie van het kabinet-Cals: ''s Middags naar Vic [Marijnen] met Anneke.' Aanwijsbare invloed op de politieke opvattingen en besluiten van haar man had Anneke niet. 'Absoluut niet', zegt Conny Hijmans. 'Natuurlijk had ze soms een andere mening dan haar man, maar ze wilde daar niets mee bereiken. Ook met mij sprak ze er zelden over, bang als ze was om haar mond voorbij te praten.' Toch werd in huize

De Jong soms heftig gedebatteerd. Dat was vooral het geval als minister Marga Klompé op bezoek was. Maria kan het zich nog goed herinneren. 'Tante Marga, zoals wij haar noemden, at in het weekeinde vaak mee. Dan dronken ze een borrel en werd er flink gediscussieerd aan tafel. Daar deed mijn moeder ook aan mee. Ze kon goed opschieten met tante Marga, met wie ze een groot rechtvaardigheidsgevoel deelde.' Eenmaal drong het politieke wel erg sterk door tot het persoonlijke: in 1970 werd De Jong door een aantal Molukkers met de dood bedreigd en daarom werd hij streng bewaakt. Ook de bewegingsvrijheid van zijn vrouw en kinderen in en om het Catshuis werd beperkt.

Anneke was vrouw van de premier in een tijd waarin feministen zich roerden. 'Daar liep ze niet achteraan', aldus Maria, 'maar ze was er ook geen tegenstander van.' Vond Anneke het, gezien haar zelfstandige en leidinggevende posities in het verleden, niet moeilijk een puur dienende rol te vervullen? Maria: 'Dienend wil ik het absoluut niet noemen. Ik heb haar nooit als huissloof gezien. Ze deed veel meer, was een organisator, regelde de boel. Bovendien heeft ze haar zelfstandigheid altijd behouden.' Ze nam bijvoorbeeld deel aan studiebijeenkomsten van bijbelgroepjes en ging regelmatig in haar eentje op retraite in een klooster in de buurt van Nijmegen. 'Daar ging ze soms een week heen om even tot zichzelf te komen', herinnert Conny Hijmans zich. 'Dat was helemaal niet zo gebruikelijk toen, maar daar trok ze zich niets van aan.'

Nadat het kabinet in 1971 ondanks alle maatschappelijke stormen de rit volledig had uitgezeten, was De Jong bereid nogmaals minister-president te worden. De KVP koos echter de jonge en progressieve Veringa als lijsttrekker, hoewel De Jong in de populariteitsmetingen van dat moment alleen Toon Hermans voor zich moest dulden. 'Ze heeft het nooit uitgesproken, maar ik denk dat ze het een laffe streek vond', aldus De Jong over de wijze waarop zijn vrouw het afscheid beleefde. Toch genoot Anneke wel van het feit dat haar man in de luwte van het openbare leven belandde en vaker thuis was. Tot haar grote geluk verhuisden ze terug naar het koetshuis. 'Daar hebben ze samen weer wat mooie jaren gehad', weet Maria. 'Ze gingen regelmatig op reis en konden meer tijd besteden aan familie en vrienden.'

Toen koningin Beatrix in 1980 de troon besteeg, moest het gezin De Jong na twintig jaar het koetshuis verlaten. Dat gebeurde, bezweert De Jong, volgens afspraak en niet onder protest, zoals kranten schreven, 'hooguit wat overhaast'. Anno 2004 gebruiken prins Constantijn en prinses Laurentien het koetshuis als *pied-à-terre* wanneer ze in het land zijn. Piet en Anneke verhuisden naar hun huidige woning, niet ver van het koetshuis. De contacten met het Koninklijk Huis zijn altijd hartelijk gebleven. De Jong werkte als adjudant van de koningin aan het hof ten tijde van de Greet Hofmansaffaire, maar hij heeft hierover nooit iets losgelaten. Hetzelfde geldt voor Anneke, die van de problemen het nodige moet hebben meegekregen. Het geheim van Soestdijk was en is bij de De Jongs in goede handen.

De bewindslieden van het kabinet-De Jong eten na meer dan dertig jaar nog elke maand samen. Twee keer per jaar komen de vrouwen mee, dan gaat het dineren gepaard met theater- of museumbezoek. Anneke kan hier al jaren niet meer bij zijn; daarvoor is haar gezondheid te zwak. Maar het wereldnieuws houdt ze nauwkeurig bij en ook haar aandacht voor anderen is onverminderd groot. Hoewel ze nu zelf zorgbehoevend is, bekommert ze zich nog altijd om haar 'kringetje stakkers'.

Ruben Post

foto privé-bezit familie Biesheuvel

Barend en Mies Biesheuvel

Mies Biesheuvel-Meuring (1919-1989)
Onafhankelijke vrijbuiter

Premiersvrouw of niet, Mies Biesheuvel deed wat ze altijd al deed: het verkopen van oude spulletjes, vaak via de krant. Soms hanteerde ze een fictieve naam, bijvoorbeeld 'mevrouw De Groot', al maakte het haar niet uit om de naam Biesheuvel te gebruiken. Ze was erg succesvol. Er kwamen opkopers bij de deur, 'van die mannetjes', en Barend stamelde dan: 'Wat heb je nou weer gedaan?' Mies ging gewoon haar gang en bleef wie ze was. Ze reed jaren rond op een Solexbrommer, zelfs van Aerdenhout naar Amsterdam. Als ze naar de rommelmarkt ging, trok ze een oude regenjas aan. Met een sjofel uiterlijk viel er volgens haar beter zaken te doen.

Mies Meuring, voluit Wilhelmina Jacoba Meuring, werd op 7 augustus 1919 geboren in een meubelmakersgezin in Amsterdam. Ze groeide op te midden van drie broers en twee zussen; een andere broer overleed kort na zijn geboorte. Vader Frits Meuring was een enorme persoonlijkheid. Hij werd zwemkampioen van Nederland, zwom in de Theems, de Tiber en de Seine, deed mee aan de Olympische Spelen van 1908 en was een van de eerste waterpolospelers in Nederland. Daarnaast reed hij motor, bokste hij in zijn jonge jaren en deed aan gewichtheffen. Mies was dol op haar vader en had hetzelfde, rechtlijnige karakter. De moeder van Mies, Bertha Willemse, bereikte niet de hoge leeftijd van haar man. Ze had het aan haar hart. Mies was hoogzwanger van haar jongste kind, toen haar moeder overleed. Met een ronde buik zat ze in haar stoel, het portret van moeder in haar handen. Ze huilde dikke tranen. Een broer van Mies overleed eveneens door hartproblemen. Mies heeft er altijd het gevoel aan overgehouden dat deze kwaal ook haar fataal zou worden. Het zou anders gaan.

Al op jonge leeftijd, beiden zaten op de MULO, ontmoette Mies Meuring de een jaar jongere Barend Biesheuvel. Dat moet in 1934 zijn geweest. Vast staat dat de eerste zoen werd uitgewisseld op de Zeeweg, tussen Bloemendaal en Zandvoort. Mies volgde na de MULO een opleiding voor apothekersassistente. Ze had graag willen studeren, het liefst medicijnen, maar daar was geen geld voor. Het was al heel wat dat ze apothekersassistente mocht worden. Barend bezocht na de MULO het gymnasium. In die tijd ging het uit tussen Mies en Barend. Mies wilde vrij zijn en dat gezeur met verkering niet meer, zoals ze later vertelde: '(...) aangezien ik 't zo vreselijk saai vond om elke woensdag- en zaterdagmiddag met dezelfde jongen te gaan fietsen (...)' Ze had een dolle tijd, maar liep Barend weer tegen het lijf toen hij op de Leidsevaart uit school kwam. Ze vonden elkaar opnieuw leuk. Toch duurde het tot 1942 voordat Mies Meuring en Barend Biesheuvel zich gingen verloven. Barend was voor de Meurings 'die jongen van de boerderij'. De broers van Mies knepen ostentatief de neus dicht als hij binnenkwam.

Mies was van haar kant bij de Biesheuvels 'dat meisje van de stad' en vader Biesheuvel vroeg zijn zoon: 'Wat moet jij met een Luthers meisje?' Er zou een aantal jaren overheen gaan voordat hun liefde door beide families werd geaccepteerd.

Kerstmis 1942 werd de verloving bekendgemaakt, van 'B.W. Biesheuvel Jur. Cand. en Mies Meuring'. De kinderen van Mies en Barend moeten er nog steeds om lachen: 'Vader was de boerenzoon die zichzelf even moest laten zien. Hij wilde voor de gelegenheid zijn titel gebruiken, terwijl moeder Mies werd genoemd.' Geld om de verloving groots te vieren, was er overigens niet: de jongverloofden hielden 'geen ontvangdag'. In de latere jaren van de oorlog kwam alles goed tussen de families Meuring en Biesheuvel. Barend zorgde dat de familie Meuring in Amsterdam te eten had; met gevaar voor eigen leven bracht hij hun brood.

Pas na de oorlog trouwden Mies en Barend, op 22 november 1945; het had alles te maken met huisvesting die moest worden gevonden. Al op 20 november 1945 was het paar het middelpunt van een feest voor vrienden in Ontspanningszaal Union. Speciale distributiekaarten werden ervoor vervaardigd. Mies maakte haar trouwjurk zelf. In een koetsje ging het naar het stadhuis in Haarlem. Een vriend schreef later aan Barend:

'Jij trouwde om 11 uur op het stadhuis, dus meende ik daar nog wel bij te kunnen zijn. Ik was dan ook prompt ten stadhuize aanwezig, maar (zoals dat meestal gaat), je arriveerde ± een half uur te laat, zodat het onmogelijk werd voor mij om de plechtigheid zelve bij te wonen. Ik heb echter je "*joyeuse entrée*" nog gezien, en kunnen genieten van de prachtige kledij van je bruid, gevolgd door bruidsmeisje en bruidsjonker. Het was waarlijk in de puntjes en je vrouw heeft wel een compliment verdiend, dat ze dit in deze tijd zo voor elkaar heeft weten te krijgen.'

's Avonds werd het feestmaal gehouden in restaurant Brinkman te Haarlem. Oom Leen jaagde, dus er was vlees. Een andere oom zorgde voor vis.

Barend was inmiddels werkzaam bij het ministerie van Landbouw. Op 27 oktober 1945 had de Provinciale Voedselcommissaris van Noord-Holland een verklaring verstrekt: 'Voor Mr. B.W. Biesheuvel, juridisch adviseur van het Ministerie van Landbouw, en als zodaanig bij mij in dienst, is het dringend noodzakelijk, dat hij – in verband met zijn werkzaamheden in de provincie Noord-Holland – centraal woont, bij voorkeur in de omgeving van Haarlem, of in Haarlem zelf.' Daarmee kwamen Mies en Barend in Bloemendaal terecht, op kamers bij een weduwe, met wie ze de keuken moesten delen.

Barend raakte als bestuurder actief in verscheidene christelijke boerenorganisaties. Vanaf 1952 was hij algemeen secretaris van de Christelijke Boeren en Tuinders Bond (CBTB). In 1956 verzeilde Biesheuvel in de politiek en trad voor de ARP toe tot de Tweede Kamer. Hij werd belast met landbouwzaken en Europese zaken. Mies zou zelf nooit voor de politiek hebben gekozen. Ze had er echter geen afkeer van, nam het soms zelfs uitdrukkelijk voor de politiek op ('Zo langzamerhand krijg je de indruk dat men een politicus als een soort hinderlijk insect beschouwt. De meeste politici werken heel hard en geven privé- en gezinsleven veelal op voor de gemeenschap'). Mies leefde erg met Barend mee, die van zijn kant sterk hechtte aan het oordeel van zijn vrouw. Gedurende zijn hele politieke carrière heeft hij haar bij zijn werkzaamheden betrokken; dat gebeurde vooral in uitvoerige onderlinge gesprekken. De politieke invloed van Mies werd door sommigen zo groot geacht dat over het kabinet-Biesheuvel wel eens werd gesproken als het kabinet-Miesheuvel.

Mies en Barend Biesheuvel kregen drie kinderen: Wieke (1948), Mark (1953) en Berty (1955). De kinderen herinneren zich de gesprekken tussen hun ouders over de politiek en weten nog dat ze dan naar boven werden gestuurd. 'Onze vader luisterde ook wel eens niet, maar ze hebben zijn politieke jaren met hun gedachtewisselingen samen beleefd. Samen en toch ook weer heel eenzaam. Moeder was avond aan avond alleen. Dat was haar bijdrage aan vaders bestaan.' Mies zei er zelf in een interview in 1963 over: 'Soms had ik hem graag eens tegen een burgermannetje willen inruilen, dat elke avond om vijf uur thuiskomt en voor wie ik zijn sloffen kan klaarzetten. Mijn man antwoordt dan: huissloofjes komen niet in Amerika.'

Toen Barend in het kabinet-Marijnen minister van Landbouw en vice-premier was geworden, raakte hij als vicepremier in 1964 betrokken bij de relatie van prinses Irene met de Spaanse troonpretendent Carlos Hugo de Bourbon Parma en haar overgang naar diens rooms-katholieke geloof. Het duurde maanden voordat de kwestie was opgelost. Minister-president Marijnen en vice-premier Biesheuvel werden door de koningin uitgenodigd om op 30 april samen met de koninklijke familie het defilé af te nemen vanaf het bordes van paleis Soestdijk. Daarmee wilde Juliana duidelijk maken dat er geen conflict had bestaan tussen kabinet en Koninklijk Huis. Voor de televisie vroeg een van de kinderen aan moeder: 'Wat moet pa nou op de verjaardag van de koningin?'

Mies Biesheuvel ondernam eigen actie in de Irene-kwestie, buiten Barend om. Ze had medelijden met koningin Juliana. Deze werd geconfronteerd met problemen die ieder ander hadden kunnen treffen. Mies besloot de koningin te schrijven om haar een hart onder de riem te steken. Ze liet de brief wel aan haar hartsvriendin Ans Eigenraam lezen, maar niet aan Barend, die toen hij erachter kwam woedend was. Mies was zenuwachtig op het moment dat ze de koningin weer zou ontmoeten. Daags na de ontmoeting vertelde ze haar vriendin: 'Ik heb een knipoog van de koningin gehad. Ze was blij met mijn brief.'

Rond het huwelijk van prinses Margriet en mr. Pieter van Vollenhoven richtte Mies Biesheuvel zich opnieuw tot de koningin, weer zonder medeweten van Barend. Nadat hij het epistel had gelezen, vond hij het een 'keukenmeidenbrief'. Maar Mies leek het heel normaal dat de ene moeder zich tot de andere wendde. Dit keer was er niet een snelle ontmoeting. Koningin Juliana schreef echter een briefje terug, waarin ze verzuchtte: 'Had Nyerere maar zijn vrouw meegebracht, dan waren "de dames" wel bij één van de diners geweest!' Ze voegde eraan toe: 'Wat is het toch enig dat mensen zo op dezelfde golflengte kunnen blijken te liggen!'

De opvattingen van Mies Biesheuvel waren vrijzinniger dan die van haar echtgenoot. Haar Lutherse achtergrond zal daarin waarschijnlijk een rol hebben gespeeld. Dochter Berty merkte het toen ze op zondag aan de tenniscompetitie mee wilde doen. Moeder vond het goed, vader niet. Mies suste haar man met 'Wat maakt dat nou uit?', en kreeg uiteindelijk haar zin. Ook KVP-politicus Norbert Schmelzer voelde zich gesteund door de milde opvattingen van Mies Biesheuvel: 'Zij kende mij als echtgenoot van mijn vorige vrouw en heeft ook mijn huidige vrouw leren kennen. Ze stoorde zich er absoluut niet aan dat ik een tweede huwelijk was begonnen. Er waren ook andere reacties: dat komt niet te pas, je moet voor het leven bij elkaar blijven. Mies schonk vertrouwen.'

Als echtgenote van de protestantse politicus Biesheuvel verloochende zij ook in interviews haar opvattingen niet: 'De kerken lopen achter, ik zie niet hoe het katholieke geloof erdoor geschaad wordt als priesters gaan trouwen.'

Tegelijkertijd hechtte Mies Biesheuvel erg aan goede omgangsvormen. De telefoon werd opgenomen met: 'Mét mevrouw Biesheuvel', en volgens de kinderen klonk dat een tikkeltje bekakt. Ze stond erop dat ook zij de telefoon netjes opnamen. Toen dochter Wieke aan een minister, die aan de telefoon was, vroeg, 'Wie bent u?', heeft zij daar naar eigen zeggen 'een hele middag college over gekregen.' Dochter Berty weet nog hoe eens een hofdame van de koningin op bezoek kwam: 'We kregen zoveel instructies, hoe ik me moest gedragen als ik binnenkwam en weer zou weggaan, dat ik met twee woorden moest spreken, dat ik niks aan mijn moeder mocht vragen. Op een gegeven moment dacht ik: ik kom vandaag helemaal niet meer naar huis!'

Barend Biesheuvel bleef minister van Landbouw en vice-premier in de kabinetten-Cals en -Zijlstra. In 1967 leek de weg vrij voor een kabinet-Biesheuvel. Biesheuvel mislukte echter als formateur en de katholiek Piet de Jong werd minister-president. De antirevolutionaire voorman Biesheuvel kreeg het fractievoorzitterschap in de Tweede Kamer. Ook in deze tijd deed Mies Biesheuvel haar invloed gelden. Volgens de toenmalige vice-voorzitter van de fractie, Willem Aantjes, had ze 'zeer uitgesproken meningen' en 'dat irriteerde nog wel eens.' Hij herinnert zich hoe destijds in de fractie over de voetbaltoto moest worden beslist. Alleen Barend Biesheuvel aarzelde om tegen te stemmen. 'Barend ging bellen en viel na terugkomst buiten de boot van de fractie. Toen dachten we: hij zal wel met Mies hebben overlegd.'

In 1970 werd het zilveren huwelijk van de Biesheuvels gevierd. De collega-fractievoorzitters Schmelzer en Mellema traden op, samen met hun echtgenotes. Er was een avond voor de familie en een voor vrienden. Het gezelschap werd anders te omvangrijk en zou ook onvoldoende mengen. De relatie van Mies met haar zusters was minder goed. De verschillen werden te groot, ze groeiden uit elkaar. Mies zat er niet over in: het was nou eenmaal zo. De verhouding met haar broers, die wat minder in leeftijd scheelden, is altijd uitstekend gebleven. Mies onderhield het contact en bezocht bijvoorbeeld haar broer in Australië. In de politiek hadden Mies en Barend Biesheuvel maar enkele vriendschappen. Privé en werk hielden ze zoveel mogelijk gescheiden. Aantjes vertelt dat hij niet vaak bij de Biesheuvels over de vloer is geweest: 'Ik had het gevoel dat Mies daar niet zo toegankelijk voor was.'

Juni 1971 werd Barend Biesheuvel eindelijk premier, leider van een 'kabinet van sterke mannen'. Mies vertikte het om naar het Catshuis te verhuizen. 'Dan zit je daar net met je nieuwe gordijnen, valt het kabinet en kun je er weer uit.' Bovendien zaten de kinderen vlak voor hun eindexamens. En de familie had zojuist een woning aan de Enschedeweg in Aerdenhout betrokken. Barend realiseerde zich dat zijn voorgangers Marijnen, Cals en De Jong wel op het Catshuis hadden gewoond, maar Mies was heel beslist: 'Laat mij maar hier.' Gelukkig weigerde tezelfdertijd ook de nieuwe minister van Buitenlandse Zaken Schmelzer zijn intrek te nemen in de dienstwoning op Plein 1813, waar Luns had geresideerd. Biesheuvel besloot om met de ministerraad op het Catshuis te gaan vergaderen – de Trêveszaal aan het Binnenhof, waar normaliter de kabinetsvergaderingen werden gehouden, werd in die tijd opgeknapt.

Mies Biesheuvel kwam wel vaak op het Catshuis. Ze hield er bijvoorbeeld ontvangsten voor echtgenotes van ambassadeurs. De kinderen vertellen: 'Dan aten wij nooit lekker. Had je net de soep gehad, mikte ze nog snel wat sla op je bord en holde ze voor haar verplichtingen weer weg.' Mies was op het Catshuis betrokken bij zaken als de tafelschikking voor diners en de inkopen daarvoor ('Al is 't een herenaffaire, ik moet toch even doorpraten wat er alzo ingekocht moet worden'). Ze onderhield vooral contact met gastvrouw Sia van der Arend – die nog eens op zoon Mark thuis in Aerdenhout heeft gepast, toen het premierspaar voor enkele weken naar het buitenland moest.

Ook op het Catshuis verloor Mies Biesheuvel de belangen van haar man niet uit het oog. Wilde die daar overnachten, dan moest dat in een klein antiek ledikant. De voeten van de lange Barend staken eruit, ook al lag hij diagonaal. Dat was Mies een doorn in het oog. Toen ze er wat aan wilde doen, stuitte ze echter op een Haagse ambtenaar, die wees op de unieke Louis XV-stijl. Mies besloot het buiten hem om te spelen. Eigenmachtig liet ze het bed verlengen; Vroom en Dreesmann kwam voorrijden met nieuwe matrassen.

Kort na het aantreden van het kabinet besloot Mies een partijtje te geven voor de kinderen van de bewindslieden. Ze had het idee 's nachts gekregen. 's Morgens ging ze meteen aan het bellen om alles te regelen. Voor de kleintjes was er een goochelaar. De ouderen mochten een borreltje drinken. De kinderen Biesheuvel waren zelf op een leeftijd dat ze niet veel zin hadden in kinderfeestjes, maar moesten achteraf toegeven dat het erg gezellig was geweest. Ze hadden bovendien eens met andere kinderen kunnen praten over hoe het was om een bekende vader te hebben.

Het premierschap veranderde Mies' leven: 'Mijn representatieve verplichtingen zijn veel groter' en 'Ik *moet* nu en anders *kon* ik.' Mies was als premiersvrouw duidelijk zichtbaar. Ze opende onder meer een expositie in het Nederlands Textielmuseum en was eregast bij de presentatie van de najaarscollectie van couturier Edgar Vos. Bij elke gelegenheid hoorde ze in een andere *outfit* te verschijnen. Mies wilde echter aan kleren niet te veel geld uitgeven, dus maakte ze haar mantelpakjes zelf. Koningin Juliana vond het prachtige creaties en was erg verbaasd dat ze zelfgemaakt waren. Zo vonden er tussen staatshoofd en premiersvrouw vaker gedachtewisselingen plaats. De koningin hoorde er bijvoorbeeld van op dat de Biesheuvels het met één badkamer moesten doen. 'We vervuilen amper', was daarop Mies' reactie.

De kinderen herinneren zich hoe moeder, als ze thuiskwam van diners, haar tafelgenoot feilloos kon imiteren. 'Was dat een oersaaie Ierse rechter geweest, dan zette ze die man in vijf minuten neer, met haar mimiek en gebaren!' Mies hield van gek doen; ze zag het betrekkelijke in van haar bestaan. Het premierschap moest als iets heel tijdelijks worden beschouwd: 'Het kan morgen weer afgelopen zijn, jongens.' Toch lijkt deze periode haar niet altijd licht te zijn gevallen. Barend was nóg minder thuis en Mies moest alleen naar bioscoop en theater. 'Als vrouw moet je proberen een eigen leven te leiden. Anders ga je er onder door.' Verder was het niet altijd leuk wat er over Barend geschreven werd, maar ze schaarde zich achter de uitspraak van haar man: 'Aan open rioolputten pleeg ik voorbij te lopen.' De tijden waren bovendien veranderd, vond Mies: 'Er wordt wel eens gezegd: toen Drees regeerde, had hij het hele volk achter zich. Ja, dat dankt je de koekoek, maar het publiek zat ook niet bovenop hem.'

Het meest ingrijpend was de kwestie van de Drie van Breda, toen politiebescherming nodig bleek. Er verscheen een politiepost voor de deur en er posteerde zich ook een politieman binnenshuis. Mies ervoer het als een enorme aantasting van haar privacy en vooral van die van haar kinderen. Het waren ook de tijden van het omstreden bezoek aan Nederland van de Japanse keizer Hirohito. Tegen dit bezoek werd geprotesteerd door slachtoffers van de Japanse bezetting, waarbij vooral de cabaretier Wim Kan een prominente rol speelde. Mies Biesheuvel baarde opzien met haar open brief aan Wim Kan, waarvan nu blijkt dat ze ook deze buiten haar echtgenoot om schreef: 'Meneer Kan, wanneer u de volgende keer weer oproept tot rebellie, wilt u dan uw helpers vragen om de ruiten niet op zondag in te gooien. Dit is zo'n vervelende dag voor een huisvrouw, weet u. Met vriendelijke groeten, mevrouw Biesheuvel.'

Het gezinsleven ging voor Mies Biesheuvel boven alles. Willem Aantjes vertelt: 'Als ik voor Barend belde, kon ze vragen: "Waar gaat het over?" "Over de politiek", zei ik dan. Misschien heb ik het toen wel eens te negatief opgevat. Ze heeft immers zorgvuldig haar nest willen beschermen.' Wanneer er gereisd moest worden werd Mies ruw uit haar dagelijkse bestaan weggerukt. 'Bij het vertrek kwam ze met opgeheven handen bij de auto, dan had ze haar nagels op het laatste moment gelakt. Onderweg naar Schiphol kon ze nog een telefoontje plegen: of het strijkijzer wel uit was gezet.'

De premiersvrouw mocht zich nog steeds graag aan haar hobby's wijden. Ze was dol op handwerken (knoopte, net als haar latere opvolgster Rita Kok, kleden en tapijten), speelde graag piano en las detectiveromans. Ook tuinierde ze: 'contact met de aarde' werd dat genoemd. 'Wanneer ik mag kiezen tussen een mooie avondjurk en een magnolia, dan neem ik de plant', vertelde ze in een interview. Mies Biesheuvel was erg handig, in tegenstelling tot haar echtgenoot die twee linkerhanden had. Ze was haar hele leven leergierig. Er is geen cursus in Nederland die ze niet heeft gevolgd. In de jaren zestig deed ze bijvoorbeeld een klusjescursus. Dan wilde ze weten hoe je een strijkijzer uit elkaar haalde, wat je met elektriciteit moest doen. Na een 'kralencursus' wisten vrienden wat zij op hun verjaardag zouden krijgen. De kennis die ze tijdens de cursussen verzamelde, bracht ze in het huishouden van de Biesheuvels in de praktijk. Ook tijdens het premierschap witte Mies de kamers, zoals ze dat altijd had gedaan. Barend ontving ondertussen zijn bezoek en kreeg uitdrukkelijk meegedeeld: 'Ik breng jullie koffie en dan ben ik er niet meer'. De premier, die het vergeten was, gooide bij het vertrek van zijn gast de deur open met de woorden: 'Mies, meneer gaat weg...', en daar stond de premiersvrouw met schort en een doek om het hoofd. Ze kon het niet waarderen.

De studeerkamer heeft nog eens tot een echtelijke ruzie geleid. De kamer lag vol met Barends papieren. Mies had hem al zo vaak gevraagd de kamer eens op te ruimen. Toen een muis werd gesignaleerd, was de maat vol. Dezelfde dag kwam een auto voorgereden en werd de complete inhoud van het kamertje afgevoerd. 'Weg, weg, weg', riep Mies, en later: 'Nou Barend, het is opgeruimd.' Deze wist alleen nog uit te brengen: 'Dat was mijn archief, het had bewaard moeten blijven!' Mies beweerde: 'De muizen hadden het al opgegeten.' Het heeft een paar dagen geduurd voor de echtelieden weer met elkaar spraken.

Mies Biesheuvel was spontaan en hartelijk. Toen de zus van Mies' hartsvriendin uit Australië op bezoek was, werd door die hartsvriendin gezegd: 'Je kunt hier niet door de ramen heen kijken, maar ik laat de boel de boel.' De volgende ochtend stond Mies de ramen van haar vriendin al schoon te maken. Je wist wat je aan Mies Biesheuvel had. Mocht ze iemand niet, dan kon ze hooghartig, bijna arrogant zijn. Met nuances had ze moeite. Zoon Mark gaf haar als Sinterklaassurprise eens een doosje met de woorden 'misschien', 'lijkt', 'zou kunnen'. 'Het waren formuleringen die ze nooit gebruikte. "Dat is zó," waren haar standaardwoorden, en ze kon heel trefzeker een oordeel geven.' Ook in interviews wond de premiersvrouw er geen doekjes om. Toen haar bijvoorbeeld naar de Dolle Mina's werd gevraagd, was haar reactie: 'Het gaat me te ver om ze naïeve misleiders te noemen, maar ik vraag me wel af waarom jonge vrouwen de kinderen die ze krijgen zo snel mogelijk in crèches willen opbergen. Als je die kinderen niet wilt, neem dan de pil.'

Dwingend was Mies Biesheuvel soms ook. Zij was het die het huwelijk van haar dochters zou regelen. Berty was op een gegeven moment in tranen: 'Het was mijn trouwerij niet meer.' Bij het huwelijk van Wieke vond Mies het voor

Barend leuk dat de wederzijdse ouders de verbintenis zouden aankondigen. 'Ik had een huis vol herrie als ik daar tegenin ging, dus ging het uiteindelijk zoals mama wilde.' Norbert Schmelzer vertelt dat Mies Biesheuvel voor de afdeling Protocol van Buitenlandse Zaken 'geen zachtgekookt eitje' was. 'Ze had hoekige kanten; ze was de meest markante persoonlijkheid onder de premiersvrouwen die ik heb meegemaakt.'

Barend kwam in politiek en publiciteit vooral bekend te staan als 'Mooie Barend'. Mies vond het maar onzin: 'Mijn man is niet mooi, hij heeft gewoon een aardig gezicht.' Ze plaagde haar man met de kwalificatie, want dat – zo vond ze – hield hem met beide benen op de grond. Toen iedereen het over Mooie Barend had, ging ze hem zelf 'Willem' noemen.

In juli 1972 viel het kabinet-Biesheuvel. Na het opstappen van de DS '70-ministers leidde Biesheuvel een interim- en minderheidskabinet, dat verkiezingen moest voorbereiden en gedurende een lange kabinetsformatie het land had te regeren. In mei 1973 kwam aan het premierschap van Barend Biesheuvel een eind. Hij vertrok gedesillusioneerd uit de politiek, teleurgesteld door de steun vanuit de ARP aan het nieuwe kabinet-Den Uyl. Mies betreurde dat het afscheid van de politiek zo moest plaatsvinden, maar meende samen met haar man een nieuw leven te kunnen beginnen en met hem mooie reizen te kunnen gaan maken.

Barend Biesheuvel heeft na zijn vertrek uit de politiek nog verschillende maatschappelijke functies vervuld. Mies was er blij mee. Ze kon zich niet voorstellen haar man de hele dag over de vloer te hebben. Soms, wanneer een van haar kinderen belde, verzuchtte Mies soms: 'Pfff, Willem is net weg.' Ze leek zich er dan op te verheugen het rijk voor zich alleen te hebben. Barend Biesheuvel had de politiek definitief vaarwel gezegd. Tevergeefs werd hij benaderd voor het partijvoorzitterschap van de ARP. In 1974 was sprake van een benoeming tot commissaris van de koningin in Zeeland. De oud-premier weigerde uiteindelijk, naar zijn zeggen vond Mies het 'direct al niks.'

Na het premierschap bleef het hartelijke contact tussen de Biesheuvels en het Koninklijk Huis. Zo dineerden ze bij Beatrix en Claus op Drakensteyn. Prins Bernhard belde de oud-premier op zijn verjaardag altijd 's ochtends vroeg en zei dan: 'Ik wil de eerste zijn...' Barend en Mies waardeerden het jaarlijkse belletje zeer. Het werd een gevleugelde uitdrukking als de kinderen aan de telefoon waren: 'Ben ik de eerste?' Dochter Wieke heeft expres haar vader eens op zijn verjaardag om kwart over zeven 's ochtends gebeld. Dit keer was zij de eerste.

Midden jaren tachtig kreeg Mies Biesheuvel te horen dat ze borstkanker had. Vijf en een half jaar duurde de ziekte. Willem Aantjes zag hoe in deze jaren bij Barend de zorg voor Mies op de eerste plaats stond. Mies ging door alle dalen van pijn en ellende. Uiteindelijk wilde ze de geboorte van een kleinkind nog meemaken. Daarna zei ze: 'Barend, nou is het op, ik kan niet meer.' Ze had alles geregeld met dominee en huisarts. Mies Biesheuvel-Meuring stierf op 17 januari 1989. Ze had Barend overtuigd van haar wens om haar leven te beëindigen. Barend, die Mies twaalf jaar zou overleven, vond dat ze 'koninklijk' was gestorven. Hij nam vanaf dat moment een ander, duidelijk positief standpunt in over euthanasie.

Barend vroeg Norbert Schmelzer om bij de uitvaart te

spreken. Dit was volgens de wens van Mies; hun verschillende geloofsachtergrond deed er voor haar niet toe. Samen werd het eerste gezang van Maarten Luther aangeheven: 'Een vaste burcht is onze God, een toevlucht voor de zijnen!' Schmelzer memoreerde hoe Mies Biesheuvel kort voor haar heengaan nog piano voor haar kleinkinderen had gespeeld. Er waren veel oud-politici. Zij zagen een Barend die ze niet kenden: intens verdrietig en geëmotioneerd. Ieder in de kerk realiseerde zich welke bijzondere plaats Mies in het leven van Barend Biesheuvel had ingenomen.

Peter Rehwinkel

foto Spaarnestad Fotoarchief | ANP

Liesbeth en Joop den Uyl

Liesbeth den Uyl-van Vessem (1924-1990)

Dwarse feministe

Van het beduimelde bruine cahier, waarop de tand des tijds nu echt vat begint te krijgen, is de eerste bladzijde losgeraakt. Onrust woelt in de zestienjarige puber Elisabeth Jacoba (Liesbeth) van Vessem, zoveel wordt duidelijk in haar dagboek, dat op 4 april 1941 begint.

In vogelvlucht vertelt ze wat er in de voorgaande jaren gebeurde. Ze werd op 18 juni 1924 geboren in Amsterdam. De eerste jaren van haar verblijf op de Watergraafsmeersche Schoolvereeniging waren 'moeilijk', ongetwijfeld door het feit dat ze 'zo verwend' was. Iedereen – haar ouders en het vier jaar jongere zusje – had zich tot dat moment naar haar wensen gericht, maar op de lagere school zijn de gezagsverhoudingen anders dan thuis.

Liesbeth voelt zich schuldig als ze niet vier of vijf boeken tegelijk leest. Tijdens de voorjaarsvakantie in 1941 lummelt ze dagenlang, leest romannetjes. Maar ook de grote literatuur duikt met regelmaat op in haar teksten. Ze schroomt niet Lodewijk van Deyssel, Constantijn Huygens of een sonnet van Willem Kloos aan te halen. Door een eigen poëtisch probeersel zet ze een groot kruis.

Toch zal ze zes jaar later met vier gedichten debuteren in het literaire maandblad *Criterium.* Ze schrijft: 'Ik weet nu, dat ik schrijven zal, later, dat ik alleen maar door veel schrijven gelukkig zal worden.' Het sobere type schrijven waaraan ze denkt en wat ze ziet van haar oudoom Frits Grönloh, beter bekend als de auteur Nescio, zal nog zo'n vijfenveertig jaar op zich laten wachten.

Dominant in haar bestaan is vooral het heftige gevoelsleven. De oorlog duikt heel summier op in haar schriftje. Met gevoel voor understatement noteert ze elf maanden na de Duitse inval: 'Als de Heren Oorlogsvoerders van Europa Spinoza ook eens bestudeerden, zouden de meeste mensen zich wat behaaglijker voelen.'

Liesbeth's ouders doen klein verzetswerk. Haar vader Jacob van Vessem is procuratiehouder bij de Amsterdamsche Bank en heeft zichzelf als autodidact omhoog gewerkt. Haar moeder Jansje Elisabeth Schuurman is ondernemend: ze richt een gymnastiekclub op, rijdt auto en tennist.

Als Liesbeth met de beste eindlijst van haar jaar – 1942 – wil gaan studeren, is er één onoverkomelijke hindernis: het moeten ondertekenen van een loyaliteitsverklaring. Daarover is thuis geen enkele discussie: trouw beloven aan de bezetter kan gewoon niet.

Ze vindt dan een baan bij uitgeverij Querido, waar Geert van Oorschot haar aanneemt. Ze zal onder meer de boekhouding doen, maar ze staat ook in de boekwinkel Erato aan de Utrechtsestraat in Amsterdam. Daar treft ze in 1943 de schuchtere Joop den Uyl, die er een handje van heeft tegen sluitingstijd binnen te komen. Op een middag vraagt ze hem een boek te kiezen, want de zaak gaat dicht. Waarop Den Uyl zegt: 'O, dat spijt me, gaat u ook deze kant op?'

Liesbeth heeft hem al eens zien rondlopen, want Joop werkt voor het illegale blad *De Baanbreker*. Ze raken bevriend. Joop worstelt met zijn gereformeerde afkomst – iets wat nooit zal veranderen – en praat daar veel met Liesbeth over. Liesbeth, die thuis met het lichtere Lutherse geloof is opgegroeid, wordt niet religieus. 'Ze had wel een affiniteit met het paranormale', zegt haar dochter Marion den Uyl. 'Ik heb haar daar een paar keer iets over horen zeggen. Ze kon het erg goed vinden met mijn dochter, ze grapte dat die ook een heks was.' Liesbeths vriendin, de feministe en journaliste Trix Betlem: 'Wij waren gereïncarneerde heksen. Dat geloofden we.'

Om te zien of ze bij elkaar passen, schrijven Liesbeth en Joop beiden een essay over *Het land van herkomst* van E. du Perron, dat ze elkaar toesturen. Ze vindt dat ze hem als achttienjarige wel erg snel heeft ontmoet, zou het niet beter zijn als ze elkaar over vijf jaar weer eens treffen? Joop heeft zijn studie afgerond, zij wil nog studeren, maar de oorlog is nog niet voorbij.

Joop en Liesbeth trouwen in augustus 1944. In die jaren heeft het paar contact met een ander geëngageerd duo: Mies Bouhuys en Ed Hoornik. 'Het was een verliefd stel,' zegt Mies Bouhuys. 'Liesbeth toonde dat niet zo, maar Joop wel, op een beetje onbeholpen manier.'

In de Nederlandse samenleving is het in de jaren vijftig niet gewoon dat vrouwen studeren en buitenshuis gaan werken. Toch begint Liesbeth een studie psychologie. Als ze twee kinderen heeft, laat ze die soms achter bij de portier van de universiteitsbibliotheek om binnen te gaan studeren of boeken te halen. Na een paar jaar breekt ze haar studie af omdat het niet te combineren is met haar moederschap.

In vrij rap tempo baart Liesbeth zeven kinderen: Saskia (1946), Marion (1947), Barbara (1949), Martijn (1951), Xander (1953), Rogier (1957) en Ariana (1965). Op haar achtentwintigste heeft Liesbeth al vijf kinderen. Het is dan 1952, de vrouwenbeweging bevindt zich nog ver achter de horizon.

'Ze kon een hele dag de boel de boel laten', zegt Marion den Uyl. 'Ze verzon creatieve dingen voor ons. Dan rolde ze bijvoorbeeld behang uit over tafel en daarop mochten we onze eigen tekeningen verven. 's Avonds zei ze dan: 'En nu gaan we met zijn allen opruimen!' Marion herinnert zich dat iedereen er over de vloer kon komen, het was een gastvrij huishouden. 'Als ik tentamens had, dan was het normaal als ik met tien, twaalf klasgenoten een boterhammetje kwam eten.' Twee broers hebben later een band en mogen zich uitleven in de kelder van de patiobungalow in Buitenveldert, waar de familie vanaf 1966 woont.

Joop wordt al snel volledig opgeslokt door de publieke zaak. Meteen na de oorlog is hij redacteur bij *Vrij Nederland*, eind jaren veertig wordt hij directeur van de Wiardi Beckmanstichting, het wetenschappelijk bureau van de PvdA. In 1953 wordt hij raadslid in Amsterdam, Kamerlid en wethouder in 1962. Tot dat jaar wonen ze achtereenvolgens op de Nieuwe Herengracht, de James Rosskade en de Milletstraat.

Liesbeth den Uyl eist haar eigen ruimte op. Ze wordt vanaf 1966 bestuurlijk actief in de wijkraad Buitenveldert en lid van het gewestelijk bestuur van de PvdA. Ze doet ook journalistiek werk.

In de verkiezingscampagne van 1967, nadat Joop kort minister van Economische Zaken is geweest in het snel gevallen kabinet-Cals, laat ze zich interviewen door verschillende kranten. Daarmee is ze in de Nederlandse politiek de eerste echtgenote die naar buiten treedt en zichtbaar wordt als de vrouw van een belangrijk politicus, de lijsttrekker van de PvdA. Een vrouw met opvattingen, zo blijkt uit die gesprekken.

Ook is ze onvermoeibaar present in de verkiezingskaravaan. Dat valt op. In januari 1967 begint een verkiezingsdebat tussen politicus Norbert Schmelzer en Den Uyl te Brunssum met de complimenten van de KVP'er aan mevrouw Den Uyl, 'omdat zij zo voortvarend, vasthoudend en charmant' aan de zijde van Joop verblijft.

PvdA'er Ed van Thijn ziet het een slag anders dan Schmelzer: 'Niet iedereen vond dat altijd even gepast. Ze beklom het podium al, voordat de bloemen in ontvangst waren genomen. Ze drong zich op, bemoeide zich met alles. Toch moet Joop dat heel prettig hebben gevonden.'

In het *Haarlems Dagblad* zegt Liesbeth zich soms 'een ezeltje tussen twee hooibergen' te voelen: het gezin enerzijds en de politiek aan de andere kant. Een paar keer per dag belt ze naar huis. Maar de drie dochters nemen veel over en een van de zonen staat gedurende een periode dagelijks te koken. Haar moederschap kwalificeert ze in die jaren als volgt: 'Ik ben geen goede huisvrouw wat poetsen en zo betreft. Er zijn een paar dingen die ik belangrijk vind. De kinderen moeten goed eten, genoeg vitamines krijgen en hun kleren moeten schoon zijn. Ik vind het heel belangrijk dat het leuk is in huis, dat er veel kan.'

De kinderen op hun beurt krijgen een antiautoritaire opvoeding. Volwassenen hebben niet per definitie de wijsheid in pacht, herinnert oudste dochter Saskia zich de filosofie van haar ouders. Dat betekent ook in toenemende mate invloed van de kinderen op de gang van zaken thuis.

Ze krijgen de ruimte om vader Joop op zijn vingers te tikken als hij een optreden heeft waar zij niet zo over te spreken zijn. En als een televisieploeg opnames wil maken in huiselijke kring, moet Liesbeth dagenlang lobbyen bij haar kinderen om het voor elkaar te krijgen.

'Het was een leuk soort huishouden', zegt Hedy d'Ancona, een van Liesbeths vriendinnen.

'Er heerste een zekere artistieke chaos in dat huis, alles kon. Op die losse, uit de pols-achtige manier speelde ze de baas in huis.'

Vriendin Ageeth Scherphuis: 'Liesbeth was niet het type moeder dat in de keuken voor haar kinderen uitsluitend lekkere hapjes stond te maken of thee zette. Ze was er wel voor de kinderen: "Wat is er gebeurd, hoe is het gegaan en daar moeten we nu over praten." '

Hoe staat het met hun huwelijk in 1973, op het moment dat Den Uyl minister-president wordt en Liesbeth al een aantal jaren het feminisme heeft ontdekt? Marion den Uyl: 'Liesbeth zei wel eens: "Hij ziet nog steeds dat jonge meisje in mij." Ze hadden soms de botsingen die bij hun emotionele verknochtheid horen.' Marion schetst dat ze beiden sterke persoonlijkheden waren, die veel deelden. 'Ik denk dat ze ongeveer alles met elkaar bespraken.'

PvdA-coryfee Ed van Thijn komt vanaf 1961 al over de vloer in huize Den Uyl. Inleidend zegt hij, dat hij het nooit goed met Liesbeth heeft kunnen vinden. Van Thijn had immer het gevoel dat hij te veel was, als hij op bezoek kwam. 'Joop en Liesbeth hadden een turbulent huwelijk, maar waren wel met grote ketenen aan elkaar verbonden. Dat huwelijk stond niet op springen, maar iedereen had wel het gevoel dat het ieder moment kon gebeuren. Ik herinner me nog goed dat Joop mij van een scheiding probeerde te weerhouden met de woorden: "Ed, als ik het al volhoud..." '

'Het was een interessant huwelijk', vindt Hedy d'Ancona. 'Ze waren zeer op elkaar gesteld, hij was heel erg dol op haar.' D'Ancona herinnert zich dat Liesbeth iedere week een lijstje opstelde in Joops bijzijn om zijn aanwezigheid af te dwingen. Maar dat werkte niet, aldus D'Ancona.

'Ze maakte wel ruzie met Joop, maar er was geen continu chagrijn. Liesbeth voelde een zeker ongemak om getrouwd te zijn met zo'n man. Die zich niet aan zijn afspraken kon houden. En als hij iets afsprak, het toch niet nakwam. Dan vluchtte hij maar schuldbewust naar voren met het voorstel om dan op zaterdagmiddag iets te gaan doen met zijn allen. Wat natuurlijk weer niet lukte. Dat was een beetje het algehele patroon van Joop met betrekking tot Liesbeth: ja zeggen en nee doen, waarna Joop zich weer heel schuldig voelde. Hij sprak met ontzag en enige angst over Liesbeth. Het leek op een ritueel. Liesbeth had iets van de vrouw die verslaafd raakte aan de spijtbetuigingen van haar man.'

Volgens Trix Betlem kan het hectische leven met Joop geen verrassing zijn geweest voor haar vriendin Liesbeth. 'Joop had al tijdens hun verloving gezegd dat hij ministerpresident wilde worden.' Er was geen keus, vindt Betlem. 'Als Liesbeth al die keren in haar eentje bij het afzwemmen van de zeven kinderen is, dan kan het kennelijk niet anders. Misschien uit een groot schuldgevoel dat hij zich zo totaal in de politiek had geworpen, was hij naar haar altijd heel erg toegewijd met een wat volgzame ondertoon.'

Joop mag dan veel weg zijn, maar als er iets is, weet Liesbeth hem te vinden. De secretaresses van Joop geven Liesbeth altijd een lijstje waar hij is. En als hij de fractievergadering van de PvdA voorzit en Liesbeth belt, dan wordt er geschorst, of Ed van Thijn krijgt even de voorzittershamer van Den Uyl.

De vriendinnen van Liesbeth speculeren in de jaren van de seksuele revolutie soms over de monogamie van de beide huwelijkspartners. 'Van Liesbeth weet ik zeker dat ze nooit iemand had', zegt Ageeth Scherphuis. 'Van Joop heb ik me het wel vaak afgevraagd, maar kon ik me het niet voorstellen. Ook sprak ik er met Liesbeth wel eens over. Dan kwamen we tot de conclusie dat hij daar eenvoudig geen tijd voor had.'

'Joop hád al een schuldgevoel, daarvoor hoefde hij niet vreemd te gaan', zegt Scherphuis. 'Wat zou hij dan ongenadig op zijn sodemieter hebben gehad. Als Liesbeth dáár achter was gekomen... dan zou hij geen leven meer hebben gehad.'

Het premierschap van Joop den Uyl is vanaf 1973 in volle gang en dat heeft vanzelfsprekend grote betekenis voor het gezin. Soms blijft Joop door de week in de ambtswoning slapen. In het begin van zijn termijn neemt hij de kinderen een keer mee naar het Catshuis. Marion den Uyl herinnert zich een kaal huis, met een enorm gazon, waarop haar broers voetbalden. Ze haalden Chinees en aten dat in de keuken. 'Eén ding was duidelijk: hier gingen we niet wonen.'

Het is in dezelfde periode dat de ministers en hun echtgenotes worden uitgenodigd voor een diner op paleis Soestdijk. Volgens een goede bekende van de familie interpreteert Liesbeth de karige ontvangst, met weinig culinair verheffende spijzen, als een provocatie van koningin Juliana. 'Ze moesten laten zien hoe arm ze waren.' Want het kabinet-Den Uyl had bij zijn aantreden de schadeloosstelling van de bewindslieden verlaagd en daarmee ook de toelage van de leden van het Koninklijk Huis. Half elf 's avonds stonden ze stuiterend van de honger op de paleistrappen om naar huis te gaan. Liesbeth heeft het kabinet mee naar huis genomen, waar ze haar diepvriezer hebben geplunderd voor een goed maal.

Het zal even duren voor Liesbeth ontdekt dat het geen demonstratie van de koningin was: hofmaarschalk Van Zinnicq Bergmann heeft onder Juliana de opdracht iedere Bourgondische schijn te voorkomen.

De diepvriezer van Liesbeth is altijd rijkelijk gevuld. Niet alleen voor de kinderschare, maar ook vanwege de ontvangsten die ze thuis heeft. Kasten zijn gevuld met honderden glazen en eenzelfde hoeveelheid borden. In anderhalf uur wordt er een maaltijd uit de grond gestampt, zegt een vriendin. Het gaat met een vast ritueel: Joop noemt een aantal te verwachten mensen, Liesbeth verdubbelt het automatisch. Maar als de Nicaraguaanse minister Tomás Borge thee komt drinken en vijfentwintig man meebrengt, overtreft deze zelfs Liesbeths stoutste verwachtingen. Ze blijft evenwel koelbloedig en serveert gesmeerde beschuiten en plakjes ontbijtkoek als typisch Hollandse delicatessen bij de thee.

Net als in de tijd dat ze het niet zo breed hadden, blijven ze ook tijdens Joops premierschap gewoon op kampeervakantie gaan. Naar Zweden, Frankrijk, Rusland, Italië. Het voltrekt zich volgens een vast patroon, vertelt Ageeth Scherphuis, die het verhaal van de kinderen hoorde. 'Zodra de tenten staan, valt Joop drie of vier dagen non-stop in slaap. Hij ligt overdag meestal buiten de tent. Om te voorkomen dat hij verbrandt, trekt Liesbeth de Nederlandse minister-president aan zijn benen rond de tent om hem uit de zon te houden.'

Het is een publiek geheim dat het politiek geëngageerde gezin Den Uyl invloed heeft op de minister-president. En zijn vrouw oefent die in het bijzonder uit, is de taxatie van de *inner circle.* Thuis heerst een levendige debatcultuur onder de tieners en twintigers in het gezin. 'Het ging vaak over de PvdA-koers', zegt Marion den Uyl.

Politici uit die tijd hebben zo hun eigen gedachten over de effecten van het politieke debat in huize Den Uyl. De enige die denkt dat Joop echt zijn eigen gang ging, is Hedy d'Ancona, die als staatssecretaris van Emancipatiezaken nooit de vruchten heeft kunnen plukken van de feministische scholing die Joop thuis kreeg. 'Joop was erg gehoorzaam thuis, maar zo gauw hij een armlengte over de drempel was, vergat hij alles weer', moppert ze. Anderen dichten Liesbeth grote invloed toe.

Het standpunt van Joop den Uyl over abortus in de kabinetsformatie van 1977 is linkser dan je zou verwachten, vindt toenmalig onderhandelaar Ed van Thijn. Hij schetst Liesbeth als 'heftig betrokken, het vaak oneens met Joops standpunten'. Enkele jaren eerder demonstreren Liesbeth en een aantal van haar dochters bij de abortuskliniek Bloemenhove, die Justititie-minister Dries van Agt wil sluiten.

PvdA-staatssecretaris Wim Meijer denkt dat Liesbeth links van Joop stond. 'Als wij op donderdagavond bewindsliedenoverleg hadden, toetste Joop de uitkomst ervan bij Liesbeth voordat hij vrijdagochtend de ministerraad in ging.' Meijer heeft de indruk dat Liesbeth de standpunten van Joop aanscherpte. 'Zij was authentiek, zij hoefde geen compromissen te sluiten.'

Trix Betlem is ronduit enthousiast over de vrouwenstrijd die Liesbeth voerde in de richting van haar man. 'Hij kreeg het recht voor zijn raap. Zij zat ontzettend te pushen dat meer vrouwen minister werden of hoge ambtelijke functies kregen. Soms dacht ik: nou... nou... Dat waren gewoon orders.'

Minister van Buitenlandse Zaken Max van der Stoel herinnert zich dat Joop den Uyl aanvankelijk heel aarzelend stond tegenover de plaatsing van kruisraketten. 'Ik heb zeer de indruk dat Joop in huiselijke kring sterk werd beïnvloed. Om verschillende redenen was hij uiteindelijk tegen, en Liesbeth was er daar zeker één van.'

Liesbeth heeft gemengde gevoelens omtrent haar status van premiersvrouw. Ze haat het en ze houdt ervan, zo vertellen ingewijden. Mies Bouhuys onthult dat Liesbeth een groot voorbeeld zag aan de andere kant van het Kanaal: 'Mary Wilson, de Britse premiersvrouw die prachtige gedichten schreef. Daar spiegelde ze zich graag aan. Maar Liesbeth was iemand die eigenlijk steeds te veel hooi op de vork nam. Ze wilde moeder van zeven kinderen zijn, *first lady*, dichter en journalist tegelijk.'

Ze ervaart deze tweestrijd als de vrouwen van de ministers uit het kabinet-Den Uyl iets gezamenlijks ondernemen. Dat vindt ze dubieus. In haar archief zit een uitnodiging van Ria Lubbers-Hoogeweegen, februari 1976. 'Om het nieuwe jaar goed te beginnen nodig ik U uit voor koffie en lunch op 16 februari.'

Anny Nijman, de vrouw van Jos van Kemenade, zegt: 'Liesbeth zou zoiets nooit organiseren. Dat vond ze niet passen, wij hadden niets met de macht te maken, maar werden op een bepaalde manier wel als machtig beschouwd.' Nijman weet dat Marry de Gaay Fortman wel eens iets organiseerde. Zo hebben de dames de goudstaven van de Nederlandsche Bank gezien, en bezochten ze andere keren de ministeries van Onderwijs en Financiën.

Het was niet Liesbeths favoriete bezigheid, met de ministersvrouwen op stap gaan, zo weet Tineke Pronk, de vrouw van de minister van Ontwikkelingssamenwerking. 'Dat liet ze ook wel merken door de dingen die ze zei. Maar ze liet het ook niet gauw afweten, ze wilde ons niet laten zitten.'

De feministische journalisten Ageeth Scherphuis en Trix Betlem leren Liesbeth kennen in de aanloop naar het Jaar van de Vrouw, 1975. 'Het is de tragiek van haar leven dat ze de vrouw van minister-president Joop den Uyl was, maar het heeft haar toch ook veel goed gedaan', zegt Scherphuis. 'Dat is de tweespalt in haar. Aan de ene kant is er iets wat je verschrikkelijk tegenhoudt in je eigen ontplooiing, maar je komt er ook niet onderuit om ervan te profiteren. Het heeft haar eigenlijk haar hele leven dwarsgezeten. Ze wilde ook heel graag Liesbeth van Vessem zijn, ze was heel ambitieus. Ze heeft het nooit gezegd, maar ik proefde bij haar dat ze vond dat ze, door het grote gezin met zeven kinderen, toch ook haar talenten een beetje vergooide. Dat gevoel werd versterkt omdat ze allerlei vriendinnen had die bij televisie, de krant of in de politiek werkten. Ze had maar het idee dat dat een hogere smaak van honing was. Het viel niet uit haar hoofd te praten.'

Hedy d'Ancona over die strijd: 'Liesbeth klaagde altijd over haar man en maakte toestanden, maar ze profiteerde er ook van. Ze gedroeg zich toch ook als de vrouw van de minister-president, daar genoot ze van, dat liet ze zich niet ontglippen. Ze vond het toch heel erg comfortabel om een diplomatiek paspoort te hebben, wat ze ook nog gebruikte toen Joop al lang geen minister-president meer was. Toch met alle egards ontvangen worden.'

Het gevecht om zoveel mogelijk zichzelf te blijven dwars tegen het protocol in, is zichtbaar in de boekjes met korte verhalen die ze schrijft in de tweede helft van de jaren tachtig. *Ik ben wel gek, maar niet goed* en *Beppie van Vessem*. Het zijn sobere vertellingen, waarin ze de door haar ervaren waanzin van het protocol aan de kaak stelt.

Een van de fraaiste voorbeelden daarvan is als ze samen met Joop wordt uitgenodigd voor een diner in Buckingham Palace. Ter viering van een of ander jubileum zijn er ruim driehonderd gasten. Als Liesbeth wordt voorgesteld, weigert ze een revérence te maken voor alle leden van de familie van koningin Elizabeth. Ze glimlacht, geeft ze allemaal een hand en blijft stijf rechtop staan. 'Want ik buig voor niemand', zo schrijft ze.

Liesbeth heeft dan wel haar huiswerk gedaan. Ze weet dat koningin Juliana een paar jaar eerder, voorafgaand aan een bezoek van Elizabeth, heeft laten weten dat geen revérence hoeft te worden gemaakt, omdat ze niet wil dat er voor haar gebogen wordt.

Anderhalve maand later, als Engeland is toegetreden tot de EG, zijn de Den Uylen weer te gast op Buckingham Palace. De moeder van koningin Elizabeth begint te lachen als ze Liesbeth ziet: 'Oh, you again.'

De verkiezingen van 1977 ogen veelbelovend voor de voortzetting van het premierschap van Joop den Uyl. Een voor die tijd ongekende winst van tien zetels voor een regeringspartij wordt geïncasseerd. 'Toen dacht ze: het gaat weer gebeuren', zegt Hedy d'Ancona over Liesbeth en de nakende verlenging van haar status als premiersvrouw. 'Het lag voor het oprapen, maar langzamerhand zag Liesbeth die hoop vervliegen. Het was een teleurstelling, die voetje voor voetje binnensloop.'

Nieuwe hoop wordt gevoed door de wankel ogende machtsbasis van het kabinet-Van Agt/Wiegel, maar dat zit gewoon de rit uit. Als het tweede kabinet-Van Agt, met Joop als vice-premier, na negen maanden in 1982 valt, moet het door haar hoofd spelen dat een nieuw lijsttrekkerschap Joop weer het premierschap kan bezorgen.

Maar het gebeurt niet. Liesbeth stort zich met overgave in allerlei bestuurlijk werk, waarvan het bekendst zijn haar activiteiten voor SAAM. Deze organisatie trekt zich het lot aan van de Argentijnse moeders die onvermoeibaar blijven speuren naar hun kinderen, die verdwenen ten tijde van het regime-Videla. Mies Bouhuys vertelt dat Liesbeth haar naam leende aan SAAM. 'Die Argentijnse moeders maakten er in de pers heel slim gebruik van dat Liesbeth hen steunde. We zijn samen in 1983 ook naar Argentinië geweest.'

Een tragische episode breekt aan als in 1987 blijkt dat, min of meer tegelijkertijd, Joop en Liesbeth kanker hebben. De prognose voor Joop, die op de Socialistische Internationale in Dakar een keer flauwvalt, is meteen terminaal. Liesbeth stort zich op de organisatie van de 'hulptroepen': Joop moet thuis kunnen sterven. 'Ik zat daar wel drie keer in de week,' zegt Trix Betlem.

Betlem meent zich te herinneren dat Liesbeth, drie weken voordat Joop rond kerst sterft, een knobbeltje in haar borst ontdekt. 'Au, het doet pijn', zegt Liesbeth tegen een paar van de kinderen als ze zich bukt. Die dringen erop aan daar naar te laten kijken.

'Ze vond de ziekte van mijn vader belangrijker', zegt Marion den Uyl. 'Het waren hele heftige maanden: er werden twee kleinkinderen geboren en de moeder van Liesbeth overleed ook.'

Betlem: 'Liesbeth is heel snel geholpen. Achteraf is het heel stom geweest dat niet meteen de hele borst is weggehaald. Maar ze vond dat ze snel naar huis moest. Want Joop vertikte het medicijnen te nemen als Liesbeth er niet was.'

Na de begrafenis van Joop wordt Liesbeth onmiddellijk bestraald. 'Ze was heel lang overtuigd dat ze het zou winnen', zegt Marion. 'Al die therapieën gaven haar ook goede periodes.' Het is ook de tijd waarin ze haar verhalenbundel *Beppie van Vessem* schrijft en laat uitgeven.

Dan breekt toch het moment aan dat het slechter gaat met Liesbeth. Ze sterft op 30 september 1990. Ageeth Scherphuis: 'Ik zal het nooit vergeten. Wij zaten in de keuken, die grensde aan de slaapkamer waar Liesbeth lag. De kinderen hadden haar gewassen en aangekleed. Normaal is het zo dat, bij iemand die dood is, de ogen dichtgaan als je je hand over de oogleden strijkt. Maar bij Liesbeth bleef één oog half open. We hadden allemaal hetzelfde gevoel: ze kan ons niet loslaten, ze blijft controleren of het goed gaat.'

Jan Hoedeman

foto Spaarnestad Fotoarchief/Anefo

Eugenie en Dries van Agt

Eugenie van Agt-Krekelberg (1930)
Onzichtbare stuurvrouw

In het Japanse bergstadje Aizu-Wakamatsu trekt een historische optocht door de straten. Ridders te voet en te paard, monniken en boogschutters, muzikanten en vaandeldragers, praalwagens met edelvrouwen in kimono, samurai in hun vervaarlijke uitmonstering. Een man, uitgedost met Napoleontische kledingstukken en touwsandalen aan zijn voeten, stelt een Franse kolonel voor. Het is Dries van Agt, gezant van de Europese Gemeenschap. Hoog te paard geniet hij van de sensatie macht te hebben in Japan. De video-opname van dit curieuze evenement heeft Eugenie diep in een la gestopt, onder het slaken van de uitroep 'Hoe ouder, hoe gekker.'

Ogenschijnlijk kon Eugenie van Agt-Krekelberg haar paradijsvogel hooguit ringen, in werkelijkheid hing ze met beide handen aan zijn voeten. 'Dries heeft iets van een prins carnaval die, eenmaal gelanceerd, met de Raad van Elf door het land trekt en zich nauwelijks laat afremmen', zegt partijgenoot en huisvriend Hans Hillen. 'Zij heeft hem, voor zover dat mogelijk was, met twee pootjes op aarde gehouden.'

Eugenie wees Dries op zijn zwakheden, zegt Hillen.

'Een premier wordt naar de mond gepraat. Hij gaat al snel denken dat hij heel bijzonder is. Als er dan iemand is die geregeld zegt dat dat wel meevalt, helpt dat geweldig om te overleven.' Ze bagatelliseerde zijn triomfen en verzachtte zijn nederlagen. 'Dries vloog over hoge toppen en trok door diepe dalen. In beide gevallen vond Eugenie algauw dat-ie zich niet moest aanstellen.'

Op momenten dat het erom spande in Den Haag, was ze er. Ze stond Dries bij op zijn zwakste momenten. Ze wist precies wat er speelde en kon met de nodige intelligentie en met haar grote inlevingsvermogen een gefundeerd oordeel vellen. Ze regeerde niet mee, maar leefde mee. Dries' opwinding was haar opwinding, alleen ging zij er nuchter mee om. Dries mocht dan in crisissituaties onbereikbaar zijn voor medewerkers, partijgenoten en zelfs voor vrienden – naar Eugenie luisterde hij.

Naar buiten toe beperkte haar optreden zich tot het in ontvangst nemen van bloemstukken als Dries door lichamelijk ongemak was geveld. In werkelijkheid zat hij er dan vooral geestelijk doorheen en lapte zij hem op. Hillen: 'Er werd schamper gedaan over Dries' absenties, maar hij heeft veel erger en veel vaker stuk gezeten dan wij weten. En altijd kon hij rekenen op Eugenie.'

De aartsvader van het CDA, Piet Steenkamp, haalde toen Dries net premier was het bijbelse boek *Spreuken* erbij om haar gewicht te illustreren. 'Haar waarde is groter dan die van parels.' Een huisvriend: 'Ze doet me denken aan de Lieve-Vrouwebasiliek in Maastricht: stijlvol, mooi en ingetogen, maar ook sterk en betrouwbaar.'

Ze komt uit een katholiek nest in Maastricht. Eugenie

Jacqueline Theresia (6 juli 1930) zat op de lagere school bij de zusters Franciscanessen van Heythuysen en deed gymnasium alfa bij de zusters Ursulinen, een middelbare school voor katholieken van goeden huize. Een priester-oom, een jezuïtische bolleboos die eerder furore had gemaakt met een wetenschappelijk pleidooi voor links rijden in het verkeer, verwierf in de jaren zestig enige bekendheid door een steen te smijten door de etalage van een sekswinkel.

Vader Arthur Krekelberg dreef samen met zijn broer een groothandel in levensmiddelen en koloniale waren, voornamelijk thee, in het centrum van Maastricht. Moeder Betsy Spoorenberg baarde vier kinderen; Eugenie is de derde. Haar oudste broer werd notaris, haar zus huwde een arts, haar jongste broer ging in de zaak, die in de jaren zestig werd overgenomen door Schuitema, Nederlands grootste keten van supermarktondernemers. De familie Krekelberg woonde op de deftige Wilhelminasingel.

In 1949 ging Eugenie rechten studeren aan de Katholieke Universiteit Nijmegen, die bekend stond om zijn degelijkheid en veel aandacht schonk aan filosofie en ethische vraagstukken. In hetzelfde jaar ving Dries zijn rechtenstudie aan. Eugenie viel al snel voor de welbespraakte, half jaar jongere studiegenoot, die een toespraak hield van drie kwartier, bestaande uit drie zinnen, en die zo parmantig zijn wijnglas bij de voet kon vasthouden. Het priesterschap trok aan Dries. 'Ik wilde voor die bekoring bezwijken, maar Eugenie leidde me af.' In 1951 verloofden ze zich.

In het studiejaar 1951-1952 zaten ze samen in de senaat van het studentencorps. Eugenie als ab actis II en gekozen door de Meisjesclub; Dries als ab actis I. In die tijd kwam de discussie op over de strikte scheiding in het studentenleven tussen de exclusief mannelijke Sociëteit ('de kroeg') en de voor mannen ontoegankelijke Meisjesclub. In die discussie sprak Eugenie een ferm woordje mee. Een jaar later, Dries was inmiddels preses van de senaat, werd er een gemengd trefcentrum geopend. Een doorbraak in de katholieke onderwijswereld, die gewoon was jongens en meisjes gescheiden te laten opgroeien.

Ze was lid van een dispuut waarvan het lijflied aanhief met 'het vuur is ons embleem, daar jagen wij alle schaduwen mee heen'. Nog voor haar afstuderen trad ze eruit omdat het haar te weinig ruimte liet voor andere activiteiten. Eugenie was stuurvrouw in een damesacht, daar was ze met haar tengere gestalte geknipt voor, en roeide in een damesvier.

In zes jaar studeerde ze af in het privaatrecht, met scripties over faillissement en borgtocht. Daarna werkte ze een paar jaar bij de Raad voor de Kinderbescherming in Den Bosch. Ze vertegenwoordigde de raad bij de rechtbank in familierechtzaken en bij de kinderrechter in strafzaken.

Na een verloving van zeven jaar trouwden ze. Ze kregen drie kinderen: Caroline (1959), Frans (1961) en Eugenie (1962). Eugenie was in de eerste plaats moeder. Tijdens een officieel bezoek aan Japan keerde ze al na een dag huiswaarts toen ze hoorde dat haar zoon plotseling in een ziekenhuis was opgenomen. Ze beschouwde het als haar opdracht de kinderen zo min mogelijk hinder te laten ondervinden van de extreme carrière van hun vader. Daarin kon ze alleen slagen als ze hen uit de publiciteit zou houden. Dat is haar gelukt. Van Caroline is alleen bekend dat ze een echtgenoot heeft overgehouden aan de tijd dat het gezin onder politiebewaking stond.

Frans zocht in 1999 zelf de publiciteit toen hij zich liet

interviewen over zijn tekeningen in *Kraanvogels*, de bundel reisverhalen van zijn vader. 'Ik heb, vooral later, een enorme bewondering voor mijn moeder gekregen. Ze stond er vaak alleen voor en heeft er toch maar voor gezorgd dat het ons aan niets ontbrak, en dat het gezellig was als vader thuis kwam.'

Het is aan Eugenie te danken dat Dries geen vreemde is geworden voor zijn kinderen. Een oom van Dries, toen deze net premier was: 'Het huwelijk tussen Dries en Eutie draait vooral op de steun en de inzet van laatstgenoemde. Ze heeft met pijn in het hart haar eigen juridische carrière opgegeven en wijdt zich volledig aan het welzijn van man en kinderen.'

Elk verzoek om een interview wimpelde ze af, zelfs voor het CDA-orgaan. Ze wilde niet als verlengstuk van Dries worden gezien. Onzichtbaar was ze, onzichtbaar blijft ze. Waar Dries zich laafde aan de publiciteit, hield Eugenie de knip op de deur. Dat doet ze nog steeds. Dries, gevraagd of hij zijn vrouw wil polsen voor een vraaggesprek voor dit boek, laat per kerende post weten: 'Zij voelt geen sikkepit voor een interview met wie dan ook en waarover dan ook.'

Als een uitspraak van haar de publiciteit haalde, kwam die uit de mond van Dries. Over de weigering van Liesbeth den Uyl om in 1987 Van Agt toe te laten op de herdenkingsdienst voor haar man, zei hij: 'Dat heb ik Liesbeth niet kwalijk genomen. Al was het maar omdat mijn eigen Eugenie zei: "Zoals jij die man dwarsgezeten hebt! Vier jaar lang en ook daarna nog! Als hij dat bij jou zo gedaan had, dan had ik hem ook niet uitgenodigd voor jouw begrafenis." '

In de schaduw van Dries figureerde ze een enkele keer in de media. Zo lag de formatie van het tweede kabinet-Den

Uyl in de zomer van 1977 twee dagen stil omdat Eugenie jarig was. 'De CDA-leider moet om het feest te vieren helemaal naar het Oostenrijkse Seefeld, waar zijn vrouw op dit moment verblijft', berichtte een krant onder de kop 'Even stoppen, Van Agts vrouw jarig'.

Tijdens een officieel bezoek van premier Van Agt aan Egypte noteerde een verslaggever: 'Als iedereen even later in de suite zit en mevrouw Van Agt binnenkomt, zegt Dries: "Ik heb een kleine receptie, Eugenie." "Ja, ik zie het, een vol huis", zegt ze, schielijk in de belendende kamer verdwijnend.'

Op reis in China viel ze tijdens een interview binnen en probeerde met veel misbaar haar man ervan te overtuigen dat het bedtijd was. 'Na die tirade werden de heren verslaggevers verzocht met de hand op het hart te verklaren dat zij binnen vijf minuten een einde aan het onderhoud zouden maken. Nadat de slaapkamerdeur met een klap was dichtgesmeten nam Van Agt een trekje van zijn sigaar, blies op zijn gemak de rook uit en merkte met veel gevoel voor understatement op: 'Ik geloof dat ik zojuist ernstig werd gestoord.'

Ze leek gereserveerd, op het afstandelijke af, maar kon snel ontdooien. Dat ondervond de ambtenaar die bij haar thuis de officiële ontvangst van een Chinese delegatie kwam voorbereiden en twee Bossche bollen had meegenomen. 'O, wilt u koffie', vroeg ze aarzelend in de deuropening. Anderhalf uur later, het onthaal van de Chinezen was geregeld, zaten ze op het terras in het voorjaarszonnetje aan de sherry.

Het personeel van Dries liep met haar weg. Vriendelijk, plezierig, belangstellend is de eensluidende kwalificatie. Eugenie wist dat de dochter van de chauffeur eindexamen had gedaan, dat de zoon van de bode in het ziekenhuis lag en informeerde daar ook naar – jaren later nog, toen Dries allang een andere functie had. Ze kwam op voor het personeel. Als Dries, die op de onmogelijkste uren werkte, naar haar smaak te veel een beroep deed op zijn secretaresse, stak zij daar een stokje voor.

Op bijeenkomsten van de echtgenotes van bewindslieden had zij de leiding. Bescheiden, maar duidelijk, haar toespraken waren kort en helder. Zij stuurde missiven rond met aanwijzingen voor gepaste kleding en protocol. Voor de eerste prinsjesdag van het kabinet-Van Agt/Wiegel spoorde zij de gaden aan een hoed op te zetten.

Eugenie bezocht zieke echtgenotes van bewindslieden en stelde hen bij officiële gelegenheden op hun gemak. Bep van Trier, wier man halverwege de rit minister van Wetenschapsbeleid werd, voelde zich meteen thuis in de club van echtgenotes. Dat de sfeer onder de aanhang net zo goed was als in het kabinet, was mede te danken aan het hartelijke optreden van Eugenie, vindt Nel Ginjaar, die was getrouwd met Leen Ginjaar, minister van Volksgezondheid. 'Ze is buitengewoon aardig en beschaafd. Echt zoals een vrouw van de premier moet zijn.'

Eugenie weigerde als decoratieve achtergrond te fungeren. Het liefst liet ze verstek gaan. Zeker bij officiële diners, waar de afdeling protocol de dienst uitmaakt en gasten bestelt naar gelang ze relevant zijn vanwege hun functie en niet op grond van hun prettig karakter. Ze was op haar hoede en wantrouwde de goede bedoelingen van lieden die zich in Dries' nabijheid ophielden of krampachtig pogingen daartoe deden.

Als ze toch moest opdraven, was ze dienstbaar aan Dries en lachte ze verstolen als hij weer eens een snaakse opmerking maakte. Als Dries, bladerend door een zojuist gekregen album, stopte bij een foto van collega's onder de uitroep 'Met deze mensen moet je niet vergaderen', kon je aan haar niet zien dat ze het hartgrondig met hem eens was.

Ze was even ondoorgrondelijk als Dries, maar dan in een introverte variant. Nooit viel ze uit haar rol. Op die ene keer na toen ze Dries verving en het eerste beton stortte voor een nieuwe MTS in Maastricht. Volgens haar kon haar man wegens 'andere dwangarbeid' Den Haag niet verlaten.

Ze ging niet mee op verkiezingscampagne, ze vergezelde Dries niet op partijbijeenkomsten. De enige toogdagen van het CDA die ze bezocht, waren de congressen waarop Dries zich tot lijsttrekker liet kronen. Haar taak beperkte zich tot het omhelzen van Dries als hij met bloemen van het podium afdaalde. Partijfunctionarissen bewonderden haar om de mooie rust die ze uitstraalde. De enige keer dat haar aanwezigheid opviel, was toen Dries zijn toespraak onderbrak met de kreet 'Eugenie, je was geweldig!'

Dries had aan een 'halfuurtje met meisje Eugenie' genoeg toen hij in juli 1971 was gevraagd minister van Justitie te worden in het kabinet-Biesheuvel. Eugenie moet dat halfuurtje vaak hebben vervloekt. Ze heeft nooit begrepen wat Dries trok in de politiek. De bitse, vijandige, soms ronduit agressieve bejegening van haar man vond ze verschrikkelijk. De hardheid, ongemanierdheid en huichelarij van de politiek stuitten haar tegen de borst.

Er is gedemonstreerd in haar tuin, stenen vlogen door de ruit, het gezin heeft tweemaal moeten onderduiken op het Friese platteland – nooit heeft iemand iets gemerkt van haar aversie tegen de politiek.

Naar Den Haag is Eugenie niet verhuisd, dat wilde ze haar kinderen en zichzelf niet aandoen. In de jaren dat Dries minister van Justitie was (1971–1977), bleef zij op de Heilig Landstichting bij Nijmegen en woonde hij door de week op een flatje in Den Haag. De afspraak was dat hij behalve in het weekeinde nog een dag, 's woensdags, naar huis zou gaan. Dat is bijna nooit gelukt. Vrijdags ging bovendien een enorme stapel papierwerk mee naar huis en de telefoon stond in het weekend niet stil.

Toen hij premier was (1977–1982), sliep Dries door de week in het Catshuis, maar hij kon om middernacht plotseling besluiten de nacht thuis door te brengen. Dries' agenda stond vaak op zijn kop. In latere functies, toen ze weer bij elkaar woonden, liet hij zich soms diep in de nacht thuisbrengen, hoewel hij om zeven uur 's avonds had afgesproken.

Zelfs kerkelijke hoogtijdagen bracht Dries niet altijd door bij zijn gezin. Soms was hij ver weg om bijzondere liturgieën bij te wonen. Dan was hij met Pasen in Macedonië om aanwezig te zijn bij de paasviering naar Byzantijnse ritus. Eugenie moest zich op dat gebied meer laten welgevallen. Dan moest ze uit de krant vernemen dat Dries er nog steeds over dacht priester te worden. 'Daar moet ik het dan vanzelfsprekend wel eerst met mijn vrouw over eens worden. Je krijgt dan een Pieter van der Meer de Walcheren-situatie. Die is monnik geworden en zijn vrouw is ook ingetreden.'

Ze heeft een paar keer geprobeerd Dries tegen te houden. Ze vond dat hij niet de eerste lijsttrekker van het CDA moest worden, en al helemaal geen premier. Ze wilde terug naar Maastricht, Dries ook, hij zou in 1977 gouverneur van Limburg worden, Eugenie had de maten van de gordijnen in het gouvernement al opgenomen. De terugkeer naar Maastricht zou een beloning zijn geweest voor zes jaar eenzaamheid.

Een oom van Dries: 'Ik heb Eutie gevraagd: maar als-ie nou zo graag naar Limburg wilde, waarom koos-ie dan toch voor dat andere? Eutie antwoordde: "Oom Toon, het ging helemaal niet meer om die keus. Het ging om wél of geen CDA. De top zei dat hij als enige de boel bij elkaar kon houden. Daarom moest hij het wel doen." Ze was er helemaal kapot van. Als Limburgse had ze zich zo op die gouverneurspost van Dries verheugd.'

Zeker is dat Eugenie Dries het beslissende zetje heeft gegeven uit de landelijke politiek te stappen. In de zomer van 1982, Dries leidde inmiddels zijn derde kabinet, stelde zij vast dat hij zijn hoogtepunt achter zich had. Dat had zij opgemaakt uit de analyses van de gemeenteraadsverkiezingen eerder dat jaar, die het CDA overigens nauwelijks verlies hadden gebracht. Daarbovenop was het haar gebleken dat zijn populariteit tanende was in het CDA. Ruud Lubbers kwam op, Dries begon zijn greep op de partij te verliezen. Ze mocht zich er dan niet vaak laten zien, ze had wel degelijk haar bronnen in het CDA.

Haar belangrijkste argument was dat Dries fysiek en geestelijk aan het eind van zijn Latijn was. Hij besloot zich niet beschikbaar te stellen als lijsttrekker, maar liet zich overhalen door de partijtop, verloor drie zetels en gaf er een maand na de verkiezingen alsnog de brui aan. Dries werd achtereenvolgens commissaris van de koningin in Brabant, ambassadeur van de Europese Gemeenschap in Japan en vervolgens in de Verenigde Staten. Eugenie vergezelde hem naar Vught, Tokio en Washington; de kinderen waren inmiddels oud genoeg. Sinds hun terugkeer naar Nederland in 1995 wonen ze in Nijmegen.

Eugenie en Dries vullen elkaar volledig aan; het totaal oogt als een *clair-obscur* van een schilderij van Rembrandt. Als je hem ziet, staat zij in het donker. Hij stond in de schijnwerpers van de publiciteit, zij in het schijnsel van de schemerlamp thuis. Op de persoon gerichte aanvallen prikkelden Dries boven zichzelf uit te stijgen; ze deden Eugenie in haar schulp kruipen. Zij was het mariakaakje uit de Heilig Landstichting, zoals Wim Kan het formuleerde, hij een profiteroles-taart.

Eugenie, een verdienstelijke bridger, is nuchter, zakelijk, evenwichtig, rustig en moet niets hebben van poespas. Ze voelde zich hoogst ongemakkelijk toen ze de metershoge foto's van Dries en haar in de straten van Jakarta ontwaarde tijdens een officieel bezoek aan Indonesië. Dries is emotioneel, lichtgelovig, rusteloos, impulsief en houdt van uitbundige praal.

Intellectueel zijn ze elkaars gelijke, gesprekspartners roemen haar eruditie, wijsheid en brede kennis. In administratief en technisch opzicht is ze hem verre de baas. Zij handelt thuis de post af, wat haar de gelegenheid biedt een haar onwelgevallige uitnodiging te verdonkeremanen. Als de hoogrendementsketel van de centrale verwarming droog dreigt te komen staan, vult zij hem bij.

Tegendruk biedt Eugenie nog immer; en nog steeds met wisselend succes. Ze kon Dries er in de zomer van 2003 niet van weerhouden met oud-wereldkampioen op de weg Hennie Kuiper de Alpe d'Huez op te fietsen. Ze verklaarde hem voor gek. Maar hij ging wel. En haalde de top.

Jaap Stam

foto Henk van den Hurk © Elsevier

Ria en Ruud Lubbers

Ria Lubbers-Hoogeweegen (1940)

Eenzame flapuit

Ria Lubbers is de eerste premiersvrouw die een 'Bekende Nederlander' werd. Natuurlijk traden ook haar voorgangsters wel eens naar buiten, maar nooit zo veelvuldig als Ria. Het fenomeen 'Bekende Nederlander' is pas ontstaan in de jaren tachtig, toen het aantal televisiezenders groeide en *entertainment* een heuse industrie werd met een voortdurende behoefte aan bekende gezichten. Inclusief dat van de vrouw van de minister-president.

Had Ria haar status als 'Bekende Nederlander' in eerste instantie te danken aan haar man, al ras volstaan haar eigen kwaliteiten. Ze is iemand die uitgenodigd wordt omdat ze de stemming erin brengt, een flapuit is, gezellig een pilsje drinkt, geen kapsones heeft. Kortom, een authentiek mens. Waarbij Ria graag aangetekend ziet dat het hard werken is om authentiek te blijven. Zeker als je ook nog eens de vrouw van de minister-president bent en niet uitsluitend als zijn verlengstuk of plaatsvervanger gezien wilt worden.

Haar man heeft als politicus uiteraard geprofiteerd van haar kwaliteiten als 'afschuwelijk nuchter mens'. In Ria's eigen woorden, uitgesproken een paar maanden na het aftreden van Ruud Lubbers als minister-president: 'De enige taak die ik had, was die knul met zijn beide voeten op de grond te houden.' En of we haar daar maar dankbaar voor willen zijn, want daardoor heeft hij het zo lang, twaalf jaar, kunnen volhouden.

Ria heeft niet alleen Ruud Lubbers' houdbaarheid verlengd, maar ook bijgedragen aan zijn imago. Ze heeft haar man, in wezen wat wereldvreemd ondanks zijn doenerige uitstraling, een menselijk gezicht gegeven. De harde werker die alleen voor de politiek leek te leven en altijd met dossiers in de weer was, kwam, in de interviews die zij gaf, naar voren als een aandoenlijke huisvader, die in het weekeinde hockeyde en hardliep in een korte broek. Aan de zijde van zijn levenslustige vrouw oogde Ruud Lubbers opeens menselijk.

Maria Emilie Josepha (Ria) Hoogeweegen wordt geboren in Rotterdam aan de 's-Gravendijkwal op 12 november 1940 als dochter van Nel Hoogeweegen-Buskens (1903-1955) en Richard Hoogeweegen (1895-1962). Uit het in 1934 gesloten huwelijk tussen haar vader en moeder zijn al een dochter en twee zoons voortgekomen: Liduina (1935), Chris (1936) en Richard (1938).

De jeugd van Ria staat in het teken van de vroege dood van haar ouders. Ze leert op jonge leeftijd zelfstandig te zijn. Eerst overlijdt in 1955 op 52-jarige leeftijd haar moeder. Ria, toen nog Maria genoemd, is dan nog maar 14 jaar oud. Drie jaar later krijgt haar vader, advocaat in Rotterdam, keelkanker. Ria onderbreekt haar studie heilgymnastiek en massage om hem te verzorgen in het ouderlijk huis aan de Hoflaan in de Rotterdamse wijk Kralingen. Hij overlijdt vier jaar later op 66-jarige leeftijd.

De wijze waarop Ria later haar eigen gezin organiseert, lijkt een reactie op haar jeugd, vooral op de afwezigheid van haar moeder. Voor haar vroege dood wijdde moeder Hoogeweegen zich – altijd buitenshuis – aan sociale activiteiten, onder meer als voorzitter van de Katholieke Vrouwenbond Rotterdam. Ria werd opgevoed door de huishoudster, Mien Vroomans. Als Ria zelf moeder wordt, wil ze thuis zijn voor de kinderen. Een baan nemen ligt ook niet voor de hand. Ze heeft haar beroepsopleiding immers afgebroken en op haar *curriculum vitae* prijkt verder slechts de middelbare meisjesschool en een jaar vormingsklas.

De anderhalf jaar oudere Ruud is een buurtgenoot. Het elf leden tellende gezin Lubbers woont in Kralingen aan Avenue Concordia en bezoekt dezelfde rooms-katholieke kerk aan de Hoflaan als de familie Hoogeweegen. Ria komt Ruud bovendien tegen op feesten van de katholieke studentenvereniging Sanctus Laurentius. Als ze daar een keer van de trap valt en in een plas bier belandt, zegt Ruud: 'Ook een manier om binnen te komen.' Wat een zak, denkt ze dan. Een indruk die ze snel bijstelt.

Tijdens het negende lustrum van Sanctus Laurentius in mei 1960 doen Ruud en Ria samen mee aan een toneelvoorstelling in schouwburg De Lantaarn. Daar wordt het toneelstuk *Domino* van Marcel Achard opgevoerd onder regie van John Lanting. Lubbers heeft de rol van Heller ('wantrouwig op het sluwe af' volgens het programmaboekje) en Ria de rol van Fernande, een dienstmeisje.

Van het een komt het ander. En hoewel ze tegengestelde naturen zijn, hij een denker en een lezer, zij sportief en praktisch, verlooft het paar zich op 28 april 1962. Ruud is eerder die maand *cum laude* afgestudeerd in de economie aan de

Nederlandse Economische Hogeschool, de tegenwoordige Erasmus Universiteit. Een maand later begint zijn dienstplicht bij de Koninklijke Luchtmacht en op 10 oktober laat hij zich inschrijven op het adres van Ria.

Toen Ria's vader door de keelkanker al niet meer kon praten, heeft hij haar een briefje gegeven: hij zal pas sterven als zij is getrouwd. En zo gebeurt het ook: ze is nog net 21 jaar als ze op 10 november 1962 met Ruud in het huwelijk treedt. Op 12 november is ze jarig en haar vader overlijdt op 7 december.

Binnen een maand een bruiloft en een begrafenis. Op de mooiste momenten van haar leven komt er altijd iets vervelends, zal ze later zeggen. Als haar vader is overleden, heeft ze eindelijk tijd om het vrije leven te leren kennen, om uit te gaan, om te feesten, om te dansen. Tot ze zich realiseert dat ze getrouwd is en dus weer gebonden.

Het jonge paar besluit voorlopig aan de Hoflaan te blijven wonen. Ruuds dienstplicht duurt nog tot het najaar van 1963. Als zijn eigen vader, eigenaar-directeur van een staalbedrijf, vrij plotseling in november 1963 op 62-jarige leeftijd overlijdt aan de gevolgen van een hersenbloeding, moet Lubbers afzien van een gedroomde carrière in de wetenschap. Hij gaat zijn drie jaar oudere broer Rob helpen met de leiding van Lubbers' constructiewerkplaats en machinefabriek Hollandia in Krimpen aan de IJssel, waar zo'n duizend werknemers hun brood verdienen.

Vanaf dat moment raakt Ria gewend aan een afwezige echtgenoot. Naast zijn werk als fabrieksdirecteur vervult Ruud Lubbers tal van nevenfuncties. Als hij tien jaar later minister van Economische Zaken wordt in het kabinet-Den Uyl, verandert er voor het gezin niet zoveel. 'Het lijkt me haast ondenkbaar dat hij straks als minister nóg vaker weg is', zegt Ria in een interview met het *Algemeen Dagblad*.

Ria en Ruud wonen dan met hun drie kinderen Paul (1963), Bart (1965) en Heleen (1967) in de Essenlaan. In april 1978, Lubbers is vice-voorzitter van de CDA-fractie in de Tweede Kamer, verhuist het gezin naar een ruim hoekhuis aan de Lambertweg, nog steeds in Kralingen. Ria kent het huis goed, omdat een zus van haar moeder er vroeger woonde. Ze kopen het huis hoewel de altijd zuinige Ruud, die een hekel aan geld heeft en de financiële zaken aan Ria overlaat, het eigenlijk te duur vindt.

Tijdens Lubbers' premierschap (1982-1994) haalt het huis aan de Lambertweg met enige regelmaat het nieuws. Als er wordt ingebroken en er voor 50.000 euro aan familiejuwelen wordt ontvreemd, als er een brandbom naar binnen wordt gegooid en als de familie naar buiten spurt om de dief van een autoradio in te rekenen. Na zijn premierschap en als de kinderen het huis uit zijn volgt de verhuizing van de Lambertweg naar een nabijgelegen appartement aan 's-Lands Werf, langs de Maas. In die tijd kopen ze ook een buitenhuis, De Hoonhorst, in het Overijsselse Dalfsen.

Over het huiselijk leven van de familie tijdens Lubbers' politieke carrière kan, ook nu nog, een *real life soap* worden gemaakt. Ria speelt daarin de alom aanwezige en onbetwiste hoofdrol. In tientallen interviews heeft ze meer dan voldoende privé-details geleverd voor een boeiend scenario.

De zondag is eigenlijk de enige dag van de week waarop het hele gezin compleet is. Op werkdagen zijn de kinderen naar school en is Lubbers in Den Haag en op zaterdag moet hij meestal opdraven voor een bijeenkomst van het CDA of is er een Europese top in het buitenland.

Die ene gezamenlijke dag heeft een vast patroon. Ontbijt met het hele gezin en daarna met zijn vijven naar de kerk aan de Hoflaan en vervolgens naar de tennisbaan of het hockeyveld van de vereniging Leonidas. Eenmaal weer thuis aan het eind van de middag, verdwijnt Ria in de keuken om te koken, met een biertje onder handbereik. Als de kinderen wat groter zijn, drinken die met vader Lubbers een borreltje in de woonkamer. Na het eten is er Studio Sport. Later, als Lubbers zich vrijwel totaal door het premierschap in beslag laat nemen, werkt hij boven in zijn kamer en komt hij alleen naar beneden als Ria 'koffie!' roept.

Thuis praten ze zelden over politiek, in elk geval niet vaker dan in een normaal gezin. Alleen als Ria in de krant tegenstrijdige dingen leest, vraagt ze hem hoe het zit. Maar tijdens het eerste kabinet-Lubbers (1982-1986) discussieert het gezin bijvoorbeeld wel over politiek heikele kwesties als de kruisraketten, euthanasie en de affaire rond de P.C. Hooftprijs (minister Elco Brinkman wilde deze prestigieuze staatsprijs niet toekennen aan Hugo Brandt Corstius, vanwege diens omstreden columns).

Op gewone werkdagen is Lubbers altijd afwezig. Ruim voordat de file op de A13 begint, staat de donkerblauwe regerings-BMW voor de deur om hem naar Den Haag te brengen. Zijn afwezigheid is vooral lijfelijk. Want in feite vraagt hij voortdurend haar aandacht. Soms belt hij wel zes keer per dag. Dan wil hij even 'contact', hoewel ze zelf het idee heeft dat hij haar slechts belt omdat de chauffeur de telefoon aanreikt zodra hij in de auto stapt.

Hem zelf bellen is er niet bij, omdat ze hem dan per definitie stoort. Ruud even tussendoor spreken is alleen mogelijk via zijn secretaresse Betsy Dijk, de enige die macht heeft over Ruuds doen en laten. Als op een dag een van de kinderen plotseling ernstig ziek wordt, belt Ria toch maar naar het Torentje. Als ze van de secretaresse hoort dat Ruud niet te storen is, hangt ze teleurgesteld op: 'Zeg maar dat ik nu onderweg ben naar het ziekenhuis.' Ria gaat ervan uit dat ze er wéér alleen voor staat. Maar, aangekomen in het ziekenhuis blijkt Ruud er toch te zijn.

Ook via de media dringt Ruud constant tot Ria door. Dat is ook wel makkelijk, want via radio, televisie en krant kan ze goed volgen waarmee haar man zoal bezig is. Dat scheelt 's avonds en in het weekeinde conversatie. 'We hebben beiden leren leven met het indampen van heel veel gespreksstof om nog alleen over te houden wat nodig is. In drie woorden hebben we elkaar de gebeurtenissen van de week verteld.'

Vooral in de beginjaren ligt ze met de kinderen soms 'in een stuip' over Ruuds tv-optreden. Ze imiteren zijn wollige taalgebruik en stellen vast dat hij 'oelewapperig' overkomt. Ria heeft een reden voor die kritische benadering: ze behoeden Ruud voor eigendunk en zelfgenoegzaamheid.

Een groot deel van de post die thuis wordt bezorgd, confronteert Ria eveneens met haar man. Ze leest brieven van boze burgers of beantwoordt in handgeschreven brieven de verzoeken van journalisten om haar te interviewen. Eenmaal buitenshuis, is het voor haar wel eens lastig om maar te doen of er niets aan de hand is, als er vernietigende stukken over haar man in de kranten staan. 'Ik moest dan wel gewoon naar de slager, terwijl mijn hart bloedde.' Haar man had het makkelijker vindt ze. Die gaat beschermd naar zijn werk en komt beschermd terug.

's Middags is Ria thuis om de kinderen met een kopje thee op te vangen. Ze is met overtuiging 'theemoeder', omdat ze die aandacht zelf als kind heeft gemist. Meestal komt Ruud pas thuis aan het einde van de avond, tussen elf en twaalf uur. Ria: 'Doodmoe en met zijn stropdas op halfzeven.' Als hij op het Catshuis blijft slapen of in het buitenland verblijft, belt hij om haar welterusten te wensen. 'Een huwelijk op loopafstand', noemt ze haar leven met Ruud. 'We zien elkaar zelden maar we hebben elkaar ook snel gezien.' Ria en Ruud hebben een afspraak, zegt ze in 1998: 'Als jou iets dwars zit, vertel je het mij. En als mij iets dwars zit vertel ik het jou.' Maar ja, emoties komen, thuis of via de telefoon, niet ter sprake. Ruud houdt dat af. Ria zegt daarover: 'Emotionele perikelen kosten veel tijd en die tijd is er niet.'

In de eerste jaren van Lubbers' premierschap organiseert Ria elke maand een koffieochtend met lunch voor de andere ministersvrouwen op het Catshuis. Ze komt op het idee nadat ze in de krant heeft gelezen dat Wim Deetman, minister van Onderwijs in het eerste kabinet-Lubbers, met tomaten is bekogeld. Onder elkaar bespreken ze zaken die ze bij niemand anders kwijt kunnen, zoals agressie van het publiek, kinderen die op school worden getreiterd vanwege uitspraken of beleid van hun vader. Het zijn soms therapeutische sessies, waar wordt gehuild en gevloekt.

Een keer per kwartaal maken de ministersvrouwen een excursie, naar de NOS, de KLM of de Brand Brouwerij. Een hoogtepunt is het dansoptreden van Ria met onder anderen Karin de Korte, echtgenote van minister Rudolf de Korte van Economische Zaken, en Janneke Brinkman, echtgenote van minister Elco Brinkman van WVC, in een televisieshow van de AVRO voor het goede doel.

Met enkele van haar 'lotgenoten' gaat Ria een paar keer

op wintersport. 'Als je een week lang met die vrouwen uit bent, hoor je hun verhalen en dan blijkt dat je niet de enige bent die, tussen aanhalingstekens, door haar man wordt verwaarloosd.'

Ook regelt ze als *first lady* feestjes voor het kabinet. Door het persoonlijke contact functioneert de regeringsploeg in de maanden daarna dan vaak beter. In de latere jaren verwateren deze initiatieven. De meeste ministersvrouwen zijn dan geen nieuwelingen meer, hebben er geen tijd meer voor, of werken zelf overdag. Tijdens het derde kabinet-Lubbers komt het er helemaal niet meer van.

Verder houdt Ria zich zoveel mogelijk afzijdig van het werk van haar man. Alleen als het niet anders kan, vergezelt ze hem. De reden is dat het protocol zelden rekening houdt met haar wensen en verlangens. Vooral tijdens staatsbezoeken, die de buitenwacht ten onrechte als een mooie vakantie ziet, voelt ze zich een gekooide vogel. Terwijl Ria het liefst tussen de mensen is, schrijft het partnerprogramma het zoveelste museum voor. Wat het extra zwaar maakt, is dat ze als *first lady* voorop moet lopen met de directeur, die bij elk object een uitvoerige toelichting geeft.

Bij diners met buitenlandse gasten van haar man of van de koningin, op wie ze jaloers is omdat die Ruud ten minste elke maandagmiddag uitvoerig spreekt, voelt ze zich ook al ongelukkig. Volgens het door Ria zo gehate protocol zit zij altijd ingeklemd tussen twee mannen, die achter haar om en voor haar langs uitsluitend met elkaar praten.

Het Haagse protocol is vooral ongevoelig. Zo belt op een avond de veiligheidsdienst met de mededeling dat haar man in het Catshuis blijft slapen omdat hij is bedreigd en ze hem daar beter kunnen beveiligen. Om twee uur 's nachts schrikt Ria opeens wakker met de gedachte: hoe weet degene die hem heeft bedreigd dat hij niet thuis slaapt? Als ze later haar boosheid kenbaar maakt, ziet ze ze denken: wat een aanstelster.

Haar enige concrete wapenfeit als vrouw van de minister-president is dat er tegenwoordig een bus staat op Schiphol als er op staatsgasten moet worden gewacht. Voorheen stond het ontvangstcomité, onder wie Ria, in weer en wind op het asfalt. Totdat ze uit protest, Ruud heeft daar al eens een longontsteking opgelopen, in quasi-plashouding gaat zitten onder een enorme paraplu. De foto daarvan komt in de krant, waardoor Ria eindelijk haar zin krijgt van het ministerie van Buitenlandse Zaken.

Als *first lady* krijgt ze nauwelijks ondersteuning van het Rijk. Natuurlijk mag ze gebruik maken van een dienstauto als ze representatieve verplichtingen moet vervullen. Maar dat vindt ze, zeker in de periode van bezuinigen, belachelijk. Aan de andere kant wordt haar een autotelefoon, begin jaren tachtig nog iets bijzonders, geweigerd, terwijl ze die vraagt omdat ze een paar keer is belaagd. De telefoon moet ze dus zelf betalen, net als alle bloemen die ze als premiersvrouw steeds moet geven.

Ondanks haar afkeer van politiek en protocol krijgt Ria het steeds drukker. Als echtgenote van de premier was zij al een veelgevraagde gast, maar inmiddels is ze ook op eigen kracht een 'Bekende Nederlander'. Woedend is ze als Lubbers, gevraagd wat hij vindt van het veelvuldige publieke optreden van zijn vrouw, antwoordt dat zijn echtgenote de dingen doet waarvoor hij 'geen tijd' heeft. 'Wat ik doe, doe ik omdat het aan mij wordt gevraagd. Als invaller van Ruud kom ik het huis niet uit.'

Als de kinderen gaan studeren, breekt voor Ria een periode van grotere vrijheid aan. Haar agenda raakt voller en voller. Ze opent winkels, restaurants en tentoonstellingen, ze reikt prijzen uit, ze doet mee aan modeshows, ze reist voor World Press Photo naar China. Ze wordt een gewild onderwerp voor de roddelbladen en het Stan Huygens Journaal van *De Telegraaf*.

Op den duur besteedt Ria steeds meer aandacht aan de gehandicapten en de Derde Wereld. Ze wordt bestuurslid van de vrijwilligersorganisatie voor gehandicapten en zieken de Zonnebloem, zet zich in voor de Ronald McDonaldhuizen ten behoeve van ouders met zieke kinderen en ze bezoekt Ethiopië, Kenia en Nicaragua. Een eigen televisieprogramma, *On flat shoes*, ketst door 'tijdnood' op het laatste moment af.

Lubbers houdt zich steeds verre van goed- of afkeuring van Ria's publieke gedrag. Wat ze allemaal over hem vertelt, laat hem ogenschijnlijk koud. 'Ruud zegt altijd: doe wat je wilt. Zolang je maar niet naakt over het Binnenhof gaat lopen', bekent ze in *De Telegraaf* van 22 oktober 1987.

Invloed op Ruuds politieke standpunten heeft ze naar eigen zeggen nauwelijks. Dit betekent niet dat ze niet betrokken is. 'Maar dat kun je natuurlijk nooit laten merken. Als ik iets wist, wist ik nooit wat ik wel of niet mocht zeggen als iemand me ernaar vroeg. Dus zei ik maar niks.'

Bij puur menselijke zaken kan ze Ruud nog wel van advies dienen. Zo draagt ze bij aan de persoonlijke passages in de feestrede die Lubbers op 11 mei 1991 uitspreekt ter gelegenheid van het 25-jarig huwelijk van koningin Beatrix en prins Claus: 'Een koningin om te zoenen, een man om van te houden'. En ze voegt één woord aan een troonrede toe. Als Ruud die thuis zit te schrijven, eist ze dat de vrijwilligers nu eindelijk eens worden genoemd.

Op een beslissend moment in zijn leven luistert Ruud niet naar haar. Daar heeft hij later volgens haar veel spijt van. Ze ziet namelijk niets in zijn kandidatuur voor secretaris-generaal van de NAVO en weet dat hij het niet zal redden. Ze belt nog huilend naar Schiphol en smeekt hem niet naar zijn afspraak in de Verenigde Staten te vliegen. Tot haar grote verdriet wil hij niet naar haar luisteren.

Verder bemoeit ze zich niet met zijn zaken. Als Ruud thuis via de telefoon over kandidaten voor het kabinet spreekt, verlaat Ria de kamer omdat ze de koehandel, waarvoor ze wel begrip heeft, niet kan aanhoren. Op zijn beurt waakt Lubbers ervoor zijn vrouw in te zetten voor zijn politieke carrière. Zo blijft ze afzijdig bij de twee verkiezingscampagnes waar hij als lijsttrekker fungeert, in 1986 ('Laat Lubbers zijn karwei afmaken') en in 1989 ('Verder met Lubbers'). Alleen bij de uitslagenavond is zij stralend aanwezig.

Omdat Lubbers zijn vrouw (en zijn kinderen) nooit heeft gebruikt om kiezers te winnen, zijn de media nooit echt geïnspireerd geweest om allerlei geruchten over vriendinnen, onder wie de zakenvrouw Sylvia Tóth, te checken en eventueel te openbaren. Het werd en wordt tot het privé-domein gerekend, net als Ria's vriendschap met fotograaf Vincent Mentzel van NRC *Handelsblad*. Of deze geruchten het huwelijk hebben beïnvloed, is onbekend. Ze vormen in ieder geval voor Lubbers geen belemmering om samen met Ria, Vincent Mentzel en Sylvia Tóth vakantie in Portugal te vieren. In 1988 zegt Ria tegen Hugo Camps van *Elsevier*: 'Natuurlijk zie ik wel eens vrouwen om Ruud hangen, maar ik lig daar niet wakker van. Voor mij is al lang duidelijk: houden van is niet bezitten maar lenen. Je leent iemand af en toe.'

Ria mag zich dan niet hebben bemoeid met Lubbers' werk, ze beïnvloedt wel het imago van haar man door haar uitspraken en gedrag in de media. Uit de anekdotes die ze over Lubbers rondstrooit, ontstaat het beeld van een kwetsbare, licht verstrooide jongen. Dat beeld staat ver af van het verheven, bijna presidentiële aura dat in Den Haag om hem heen is gaan hangen.

Journalisten die Ria voor een interview weten te strikken, verleiden haar keer op keer tot nieuwe onthullinkjes uit de privé-sfeer.

Over zijn zuinigheid: 'Hij ergert zich als ik in de koelkast iets laat beschimmelen. Maar dan denk ik: Ja zeg, ik zit toch ook niet in jouw paperassen te strepen.'

Over zijn aantrekkelijkheid voor vrouwen: 'Zo beeldschoon is hij nu ook weer niet. Ik zie hem 's morgens uit bed stappen en dat is wel een ander gezicht dan wanneer hij opgedoft voor de televisie verschijnt.'

Over Lubbers die op zondag de bossen ingaat om te hollen: 'Ik moet altijd vreselijk lachen als ik hem in zo'n raar broekje de deur uit zie gaan. Als ik zijn vrouw niet was, dan zou ik van een premier wel een wat elegantere voorstelling hebben dan de verschijning van een overjarige man in korte broek.'

Over het zware vak: 'Heeft u hem wel eens gezien de laatste weken, hoe hij er uitziet?'

Aan het einde van Lubbers' premierschap krijgt ze er genoeg van om echtgenote te zijn van de minister-president. Voor de buitenwacht mag het allemaal erg glamourachtig lijken, zelf heeft ze vooral last van verdriet en eenzaamheid. Als hij thuis komt, is zij er voor hem. Maar als zij thuiskomt, is er niemand.

Ondanks haar eigen functies en haar eigen kwaliteiten wordt ze ook nog steeds uitgenodigd als 'vrouw van'. Ze wordt de hele dag met haar man geconfronteerd, maar ziet hem zelden zelf. Het zorgt voor heimwee en jaloezie. Voor Radio Rijnmond verzucht ze op 28 mei 1992 over verkiezingsaffiches met haar mans portret: 'Ik kwam een keer hier in Kralingen de hoek om, toen zag ik op een pilaar een hele grote foto. Ik dacht: ik rijd er gewoon tegenaan. Gewoon, boem.'

De dertig Haagse jaren van haar man hebben haar niet alleen 'onvoorstelbaar vereenzaamd', maar ook tot een *outcast* gemaakt. Ze is vervreemd van haar hockeyvrienden. 'Toen Ruud minister-president werd, begon iedereen grapjes te maken, zo van: "Moeten we je nu met u aanspreken?" En toen Ruud na de wedstrijden niet meer gezellig mee ging eten omdat hij aan het werk moest, zeiden ze: "Hij komt nooit meer. Hij vindt ons zeker niet interessant genoeg." Dat kun je een halfjaar aan, maar dan is je incasseringsvermogen op en kom je zelf ook niet meer.'

Hetzelfde gebeurt met goede vrienden. Ria: 'Ruud had geen tijd meer voor verjaardagen en visites. Zelf ben ik te verlegen om te zeggen dat ik alleen kom. Als ik dan binnenkwam en de mensen een hand gaf, zeiden ze niet: "Wat leuk dat je er bent", maar: "Komt Ruud niet?" Als je dat vijf jaar meemaakt, nou ja, dan ga je zelf ook niet meer. Zo is alles systematisch van je afgenomen. Dan zit je in je mooie huis en dan denk je: dat is het dan. Je wilt de confrontatie niet meer aan.'

Het laatste jaar als premiersvrouw ervaart Ria als een ramp. Voor haar ogen, 'als in een film', ziet ze hoe de ellende in het CDA zich voltrekt: de animositeit tussen Lubbers en diens gedoodverfde opvolger Elco Brinkman, die geen geduld heeft zijn eigen tijd af te wachten, maar volgens Ria juist Ruuds beleid afvalt.

Op een avond, samen in bed, vertelt Ruud dat hij er geen greep meer op heeft. Het doet hem vooral pijn dat het CDA oude mensen, AOW'ers, van zich vervreemdt. De gebeurtenissen lopen hem als zand door de vingers. Ria weet wat er komen gaat. Haar man is makkelijk in de omgang, maar als je gaat zieken, dan is het afgelopen. Dat wisten zijn kinderen. Dat wist zij. Maar kroonprins Brinkman wist het blijkbaar niet.

Ria telt de weken en de dagen af. Huilend vraagt ze de top van de partij Ruud vooral buiten de verkiezingscampagne van 1994 te houden, verkiezingen die desastreus uitpakken voor het CDA en het eerste paarse kabinet onder leiding van Wim Kok inluiden. Maar het CDA negeert Ria's smeekbeden. 'Je bent machteloos', zei ze later in enkele regionale dagbladen. 'Als je ziet dat iemand in de vernieling wordt gedraaid en je houdt van hem, dan doet dat vreselijk pijn.'

En dan, op 22 augustus 1994, is het voorbij. De chauffeur van het ministerie rijdt Ruud voor de laatste keer naar huis en kiepert de tassen leeg op de eettafel, want die moeten mee terug naar Den Haag. Lubbers is premier-af en wordt in Den Haag opgevolgd door de PvdA'er Wim Kok.

Voor Ria en Ruud begint een nieuwe fase in hun huwelijk. Ze hebben ieder eenzaam in hun eigen wereld geleefd, maar hopen nu samen opa en oma te zijn voor de kinderen van hun kinderen.

Maar van genieten van de kleinkinderen en het buitenhuis in Dalfsen komt weinig. En Ruud gaat ook niet als aangekondigd bidden en denken in de luwte. Zijn leven vult zich snel, eerst met een hoogleraarschap in Tilburg, dan met talloze voorzitterschappen en commissariaten.

Uiteindelijk verdwijnt hij als het ware voorgoed uit haar leven door Hoge Commissaris voor de Vluchtelingen bij de Verenigde Naties te worden. Standplaats Genève, Zwitserland, en vooral voortdurend op reis. Zat hij vroeger nog wel eens als een 'dooie vlek' met een stapel werk bij haar aan tafel, nu spreekt ze hem alleen nog door de telefoon.

Maar zelf naar Genève verhuizen – geen sprake van. Ook naar Brussel, als hij de Europese Commissie of de NAVO was gaan leiden, zou ze niet mee zijn gegaan. Wat heeft ze er aan om daar te zitten, alleen. In Rotterdam is ze ook alleen, maar daar heeft ze tenminste haar kinderen, kleinkinderen en vriendinnen.

Ruud heeft wel eens gezegd dat hij het klooster in gaat als Ria eerder overlijdt. En Ria? 'Als Ruud nu zou overlijden, dan kan niemand hem meer van mij afpakken. Dan mag ik ook echt verdriet hebben.'

Arendo Joustra & Erik van Venetië

foto Spaarnestad Fotoarchief | ANP

Rita en Wim Kok

Rita Kok-Roukema (1939)

Sobere secondante

Rita Kok verscheen in november 1994 op een ontvangst van Anne-Aymone Giscard d'Estaing, echtgenote van de toenmalige Franse president, in Parijs. Aanwezig waren 21 *first lady's* die om beurten drie minuten zouden spreken over de rechten van het kind.

De dames waren geplaceerd in alfabetische volgorde. Rita Kok zat in een donkerblauw geruit mantelpakje tussen twee Afrikaanse vrouwen in. 'Ik voelde me heel klein.' Iedereen voerde het woord. Zelf vertelde ze over de integratie van gehandicapte mensen in de Nederlandse maatschappij, maar er was nauwelijks reactie. 'Ik dacht: dit is een luxeprobleem. Ik ben al niet groot, maar ik voelde me steeds kleiner worden.'

Het diner 's avonds duurde lang. 'Het was raar en vlak. Ik voelde me niet thuis.' De volgende ochtend in de auto naar het vliegveld zei ze tegen Mirjam Rothfuss van de Rijksvoorlichtingsdienst, die haar begeleidde: 'Dit doe ik niet meer. Zonde van mijn tijd, wat een flauwekul!'

Eén van de toehoorders had de bescheiden Nederlandse opgemerkt: Zsuzsa Göncz, de vrouw van de Hongaarse president. Een maand later vroeg ze Rita in een brief om toelichting op een woonproject waarover zij had gesproken. Rita bracht haar in contact met de initiatiefnemers. Ze ontving de presidentsvrouw op het Catshuis, ze ging zonder echtgenoot op tegenbezoek in Hongarije en zag later zeventien kleine woningen voor gehandicapten verrijzen rondom Boedapest.

'Jouw speech is de enige geweest die effect heeft gehad', zei Zsuzsa Göncz bij het afscheid. 'Ze is nooit zo op de voorgrond getreden', zegt Rita's vriendin Irène Steinert. 'Maar ze is daadkrachtig en ze heeft iets zakelijks dat wordt gedragen door haar sobere manier van leven. En ze heeft een groot sociaal gevoel, dat komt door haar vakbondsachtergrond.'

Magrietha Lummechiena (Rita) Roukema werd op 3 november 1939 geboren in het Groningse Hoogezand als tweede dochter in een gezin met drie kinderen. Ze werd genoemd naar haar grootmoeder. Haar vader was afkomstig uit een hervormd Fries nest waar de bijbel op tafel lag. Toch waren de Roukema's in Hoogezand sociaal-democraten. Vooral dankzij haar moeder, Fennie Landman, door Rita omschreven als een nuchtere, sociaal bewogen vrouw. Rita's vader was timmerman en later politieagent.

Op haar zesde verhuisde het gezin naar Amsterdam-Oost. Vader Jacob Roukema kreeg daar een functie als bestuursassistent bij het Nederlands Verbond van Vakverenigingen (NVV). Toen Rita veertien was, gingen haar ouders na 24 jaar huwelijk uit elkaar. Ze bleef bij haar moeder wonen en ontfermde zich over haar acht jaar jongere broertje, dat net naar school ging. Nadat Rita het huis had verlaten, hertrouwde haar moeder.

Na de ULO bezocht ze de Amsterdamse vestiging van de Rotterdamse Snijschool, een coupeuseopleiding. Over haar eerste huwelijk – Rita trouwde voor haar twintigste – wil zij niet spreken. Ze kreeg in 1959 dochter Carla en in 1961 zoon André, die al vroeg meervoudig gehandicapt bleek te zijn.

Na haar scheiding trok Rita met haar kinderen tijdelijk in bij haar vader in Amsterdam. Haar zus had een wolwinkel en zelf probeerde Rita in de avonduren het detailhandelstextieldiploma te halen. In huis woonde ook een jonge kostganger uit Bergambacht: Wim Kok, medewerker van de Bouwbond NVV. 's Avonds, als haar vader naar vakbondsbijeenkomsten was, praatte ze met de een jaar oudere Wim bij de kachel.

'Het was geen liefde op het eerste gezicht', zegt Rita later over hun ontmoeting. Toen Rita het detexdiploma had gehaald, feliciteerde Wim Kok haar. 'Dat was heerlijk, er was iemand blij met mijn resultaat!' In 1965 trouwde Rita met Kok. Met hem kreeg ze in 1966 nog een zoon, Marcel, de jongste. Ook haar twee oudste kinderen kregen de naam Kok. Ze volgde haar eerste cursus spinnen, baby Marcel nam ze achterin de auto mee.

In het najaar van 1970 had Wim Kok zijn eerste grote televisieoptreden bij de VARA. Joop den Uyl stond namens de PvdA in een nagebootste rechtbanksetting tegenover H.J. Witteveen, destijds minister van Financiën. De 32-jarige Kok, bestuurslid van het NVV, stond Den Uyl bij als getuige. De vakbond had een paar dagen eerder een eenmalige uitkering van 400 gulden voor de minima binnengesleept. Kok verdedigde vol vuur de koopkrachtstijging als gevolg van die eenmalige uitkering. Witteveen schudde dreigend zijn vuist naar hem: 'Jíj hebt die 400 gulden binnengehaald!'

'Wim Kok was heel goed', herinnert Marcel van Dam zich, die eveneens optrad als getuige voor Den Uyl. 'Hij had overredingskracht. Je kon toen al zien dat hij een televisiegenieke persoonlijkheid zou worden.' Rita Kok zat thuis te kijken, zenuwachtig. De kinderen lagen in bed. Na afloop dacht ze: 'Dit gaat iets worden.' 'Dat was hét moment', zegt Rita Kok later. 'Dat merkte ik de volgende ochtend op het schoolplein. Iedereen had het gezien.'

Die ochtend na de uitzending voelde Rita Kok, 31 jaar, voor de eerste keer dat Wim ook anderen toebehoorde. Dat ze hem zou moeten delen. Als hét gezicht van de vakbeweging en later ook als minister, als minister-president. 'Dat is een raar gevoel', zei ze tegen Wim.

Op sommige momenten vond Wim Kok het fijn als Rita erbij was. Op verkiezingsavonden, bij officiële ontvangsten. 'Eigenlijk dacht ik: ik zou liever thuis zijn', zegt ze later. 'Ik loop iedereen in de weg. Ik voelde me er ongelukkig bij.' Er was altijd een cirkel van mensen om Wim heen. Ze wilden hem een hand geven of een schouderklopje. Of ze zeiden: 'Je moet even een woordje zeggen op het podium.'

'Het is een beetje gênant. Ik werd echt opzij gezet. Dat zal ook wel aan mij hebben gelegen. Ik gaf ze de kans. Ik moest me altijd zo naar voren duwen. Soms zei iemand: "O, ben jij er ook?" Na afloop als Wim de auto inging, moest iemand zeggen: "Hé, waar is Rita?" Maar ik heb er geloof ik toch niets aan overgehouden.'

Voordat ze de vrouw van de minister-president werd, had ze de zwaarste periode al achter de rug: de WAO-crisis. In de zomer van 1991 besloot het derde kabinet-Lubbers hoogte en duur van WAO-uitkeringen terug te brengen om 3,8 miljard gulden te besparen. Het was voor het eerst in de geschiedenis dat er op de WAO zou worden bezuinigd.

Vlak voor het zomerreces liet PvdA-fractievoorzitter Thijs Wöltgens weten dat hij wilde instemmen met het kabinetsbesluit op voorwaarde dat de maatregel niet zou gelden voor mensen die op dat moment al in de WAO zaten. Een Kamermeerderheid schaarde zich achter Wöltgens' standpunt. Kok, als minister van Financiën verantwoordelijk voor de voorgenomen bezuiniging, verdedigde zich op 17 juli. 'Iedereen die het er niet mee eens is', zei hij 'moet aangeven hoe het kabinet zijn taakstelling dan wel kan bereiken.' Toen fractielid Piet de Visser op 20 juli het aftreden van Kok eiste, kwam die als partijleider alleen te staan.

'Het was een hele zware periode', herinnert Rita Kok zich later. 'Hij vond het heel erg dat hij die sociale voorziening waaraan hij zelf hard had meegewerkt, moest terugdraaien, omdat er te royaal gebruik van werd gemaakt. Iedereen riep ineens: het is onrechtvaardig om die arme WAO'ers aan te pakken! De PvdA-bewindslieden werden afgeschilderd als een stel koude kikkers.

'Het ging hem niet om zijn reputatie. Hij voelde zich persoonlijk verantwoordelijk, dat is gewoon deel van die man. En ik leed met hem mee. We voelden maandenlang een spanning door ons hele lijf. De WAO was het laatste waarmee we in slaap vielen en het eerste waarmee we wakker werden.'

Wim Kok was nors in die dagen. 'Als hij ongeduldig is, is hij niet de vriendelijkste. Hij is niet altijd het zonnetje in huis.' Rita zorgde ervoor dat ze er om half negen 's avonds was als hij om negen uur thuiskwam. Dat de koffie klaar stond. 'Ik was heel blij dat ik hem een schoudertje kon lenen.'

Ze spraken vrij veel over de kwestie. 'Ik ben die zomer dichtbij het besluit geweest: nu kan ik echt niet meer verder', zegt Kok over de crisis. 'Dat heb ik niet zo snel in mijn leven, maar toen wel. Ik zat er helemaal doorheen. Ieder heuveltje was me nog te hoog. Ik gaf me naar buiten toe niet makkelijk bloot, maar ik gaf me thuis juist heel erg bloot.'

'Je móet dit afronden', zei Rita op 30 augustus tegen Wim aan het ontbijt. 'Je kunt niet zomaar zeggen: ik stop ermee. Ik treed af als minister en partijleider. Dat zul je jezelf je hele leven blijven nadragen. Als je moet aftreden, dan moet dat. Ik zal je niet tegenhouden. Maar rond de boel goed af.'

'Rita heeft een heel belangrijke rol gespeeld', zegt Kok later. 'Ze heeft aangevoeld dat ze iets moest doen. Dat ze mij erop moest wijzen dat je nooit ergens een punt achter mag zetten zonder dat je ook echt je positie hebt verdedigd. Ze maakte zich zorgen over mij. Ze zag dat er iets fout ging en vond dat mensen naast mij dat moesten weten. Heel actief en heel vasthoudend.'

En dus belde Rita Kok Jacques Wallage, staatssecretaris Onderwijs: 'Het gaat niet goed met die man.' 'Dat is een belangrijk moment geweest', zegt Kok later. 'Waarom roep je geen buitengewoon partijcongres bijeen', vroegen PvdA-bewindslieden kort daarop aan hem. 'Daar kun je de hele zaak uitleggen en verdedigen. Daar kun je ook afgewezen worden en dat moet je dan respecteren.' Kok later: 'Het conflict in de partij kon zo een culminatiepunt krijgen. Zonder Rita was dat proces waarschijnlijk niet op gang gebracht.'

Op 28 september 1991 tijdens het ingelaste partijcongres stemde een ruime meerderheid van de aanwezigen voor het aanblijven van Kok als minister en partijleider. Vanaf dat moment droeg Rita Kok een harnas, zo omschrijft ze het zelf.

'Ik heb toen een afweersysteem ontwikkeld waardoor ik minder kwetsbaar was. Je huilt niet, je bent minder emotioneel. Je trekt je nare gebeurtenissen niet meer zo aan.' Dat ze een harnas droeg, merkte ze pas toen het elf jaar later van haar afviel.

'Ik ga voor goud', zei Wim Kok in het voorjaar van 1993 toen een journalist van Brandpunt hem vroeg naar zijn ambities. 'Niet voor zilver, niet voor brons.' Hij liep in een nevelig bos. De dagen daarna werd hij weggehoond in de pers. Hier sprak 'een matige partijleider' (*Trouw*) die premier wilde worden. 'Als je gaat schaatsen, ga je toch ook voor goud?', troostte Rita hem. 'Anders moet je er niet aan beginnen.'

Op de avond van de Tweede-Kamerverkiezingen, 3 mei 1994, kwam de PvdA bijeen in de Amsterdamse concertzaal Paradiso. Gerekend werd op een afstraffing. Gerekend werd op premier Brinkman. Wim Kok zat met Rita voor een televisietoestel in de schouwburg om de hoek. Toen uit de *exit polls* bleek dat de PvdA met twaalf zetels verlies toch de grootste zou worden, sprong hij met zijn lange lijf overeind.

'Het was heel onwezenlijk', zegt Rita later. 'Ik had geen seconde verwacht dat hij premier zou worden. We kwamen bij Paradiso in een juichende menigte terecht. Iedereen nam bezit van hem. Ik stond ineens heel ver weg.'

Die zomer vonden de formatieonderhandelingen plaats op het terras van hun Slotervaartse huis. Het was heet. Rita schonk koffie en frisdrank voor de politieke leiders die langskwamen.

'Van Mierlo wierp een blokkade op tegen het CDA', zegt zij later over het eerste paarse kabinet dat bij haar thuis tot stand kwam. 'En omdat de VVD niet van Wiegel was en de

PvdA niet van Joop den Uyl, ontstonden er ineens nieuwe verhoudingen.' Tegen Wim zei ze: 'De VVD, je kunt het er mee oneens zijn, maar je weet wel wat je eraan hebt. Van Bolkestein weet je dat nee ook echt nee is.' 'Ik ben helemaal niet zo'n politiek dier', zegt ze later. 'Maar de mening die ik heb, durf ik wel te geven. Ik kon het vooral goed vinden met Femke Boersma, de vrouw van Bolkestein.'

Heeft Rita Wim Kok een zetje gegeven om het eerste paarse kabinet te vormen? Hij schudt het hoofd. 'Wel is ze altijd wat kritischer geweest tegenover de christen-democratie als politieke beweging. Het CDA of bepaald gedrag in het CDA roept bij haar iets meer weerstand op dan bij mij. Ik ben wat milder.'

Op maandag 22 augustus 1994 stond het eerste paarse kabinet op de trappen van Huis ten Bosch. De donderdag daarvoor belde Ria Lubbers Rita Kok. 'Hallo Rita, maandag wordt het kabinet beëdigd. Als jij die dag naar het Catshuis komt, overhandig ik je de sleutels.' Ze schrok. 'Het Catshuis?', antwoordde ze. 'Toen pas drong tot me door dat er ook van mij wat werd verwacht', zegt Rita later. 'Ik had er met al die kerels op mijn terras nog niet over gedacht. Ik dacht: als hij premier wordt, blijft voor mij alles zoals het was.'

Een van de eerste dingen die Rita Kok als *first lady* deed: ze schafte de maandelijkse bijeenkomsten af die Ria Lubbers organiseerde voor echtgenoten van bewindslieden. Die waren een beetje uit de tijd, vond ze. 'Partners van ministers werken tegenwoordig meestal', was haar argument. 'Ze proberen zelf een invulling te zoeken voor hun leven.'

Sinds begin jaren tachtig had Rita zich toegelegd op de verkoop van haar handgeweven kledingstoffen, vloer- en wandkleden. Ze gaf cursussen en ontwikkelde een eigen abstracte stijl.

Wim Kok hielp haar in zijn spaarzame vrije tijd bij het 'opbomen', het spannen van lange draden op het weefgetouw. 'Zondagavond hebben we de hele avond staan opbomen op Rita's weefgetouw', zei hij eens tegen vrienden. 'We hebben bijna dertig meter gehaald.'

'Rita heeft zich zorgvuldig een eigen leven aangemeten', zegt Wim Kok later. 'Volgens mij is ons huwelijk daardoor ook in de zwaardere jaren zo goed gebleven. Ze zat als het ware niet op me te wachten en als ze dat wel deed, wist ze dat aardig te verbergen.

'Rita weet dat ik erg kritisch ben op mezelf en op anderen. Je kunt je niet gemakkelijk afmaken van het werk als minister-president, en ik al helemaal niet. Ik wilde altijd goed voorbereid zijn, me goed inlezen, ik werkte lang aan verhalen die ik moest houden. Ik had er niet tegen gekund als mijn vrouw mij continu had verleid om dingen te doen die niet kunnen.'

Geen grote verleidingen, verstrooiing met mate. 'Ze is zelf ook vrij sober', zegt Kok. 'Het is geen uitbundige vrouw.' Rita Kok had wel haar trucs om hem uit de spiraal van het werk te halen. Wandelingen in de duinen, eten met vrienden. Nooit hele dagen vrij, het ging erom een uurtje of twee de zinnen te verzetten. 'Ze hebben hun privé-leven al die jaren heel erg afgeschermd', zegt Irène Steinert. 'Maar als je eenmaal een plaatsje in hun hart hebt, zijn ze trouw.'

Toen Wim Kok minister-president werd, zei Rita tegen hem: 'Als je a zegt, moet je ook b zeggen'. Dat sloeg niet op hem, maar op haarzelf. Ze had zich achter zijn politieke carrière opgesteld, nu zou ze ook niet zeuren over de last van zijn premierschap.

Wim Kok: 'Ik kwam zo vaak met andere echtparen in aanraking waarvan de man een minder zware werkbelasting had dan ik, terwijl zijn eega toch klaagde. Dan keken Rita en ik elkaar veelbetekenend aan. Zij vond het niet fair om klagerig te doen. Ik heb wel eens gedacht dat daar ook een zekere zelfverloochening inzit.'

'Ik wil graag dat je mee gaat als ik voor een officieel bezoek naar het buitenland moet', zei Wim Kok. 'Alleen als ik iets nuttigs kan doen', antwoordde Rita. 'Als ik 's avonds in mijn bed stap wil ik het gevoel hebben dat ik iets heb gedaan dat telt.'

Na de Parijse ontvangst van mevrouw Giscard d'Estaing stelde Rita Kok strikte voorwaarden aan staatsbezoeken en buitenlandse reizen. Shoppen wilde ze niet, museumbezoek met mate. Het programma moest inhoudelijk zijn, haar rol bescheiden. Tijdens een handelsreis naar Vietnam in 1995 werd zij als delegatieleider aangewezen voor de eerste dag, omdat de deelnemende ministers een dag later zouden arriveren.

'We zouden in Hanoi een lange wandeling maken naar een hooggelegen tempel. Iemand van de ambassade zei: "Trekt u wel een rok aan morgen? Dat schrijft het protocol voor." Ik lag opgewonden in bed, een hoofdpijn kwam op. Ik ben mijn bed uitgegaan, heb een appeltje geschild en ik besloot: ik trek gewoon mijn rode broek aan met mijn mosterdgele bloes, mijn rode hoed en mijn gympen. Toevallig precies de kleuren van de Zuid-Vietnamese vlag. Toen ik langsliep, werd er geapplaudisseerd.'

's Avonds aan het diner voegde Wim Kok zich bij het gezelschap. Hij fluisterde Rita toe: 'Ik hoor van de reisgenoten dat ze trots waren op hun charmante delegatieleider.'

Tijdens een officieel bezoek aan Israël in 1995 bezocht ze de pedagoog Reuven Feuerstein en diens instituut voor verstandelijk gehandicapte kinderen. Ze raakte zo onder de indruk van zijn methode – die ervan uitgaat dat iedereen kan leren – dat ze de pedagoog vertelde over haar zoon André. 'André had op dat moment gedragsproblemen in het instituut waar hij zat. Hij had sterk wisselende stemmingen, was dan boos, dan zonnig. Het was voor ons en zijn begeleiders een zorgelijke periode.'

Feuerstein ontmoette André in Utrecht. 'Kom je naar Jeruzalem?', vroeg de pedagoog aan André. 'Jaha!', antwoordde die. Tegen Rita Kok zei Feuerstein: 'Heb je wel eens een audiogram van hem laten maken?' 'Hij is niet doof', antwoordde ze. 'Laat een audiogram maken', zei hij.

Uit het gehooronderzoek bleek twee weken later dat André tot de categorie slecht tot zeer slecht horenden behoorde. Vijfentwintig jaar lang was niemand op het idee gekomen dat te onderzoeken.

Rita Kok vertrok in de dienstauto van het Gooise instituut voor meervoudig gehandicapten naar het Catshuis in Den Haag. 's Middags zou er een officiële lunch zijn met de koningin op Huis ten Bosch. Onderweg belde ze mobiel naar Wim om het slechte nieuws te vertellen. 'Op dat moment begon ik te huilen. Ik klapte in elkaar. Gezicht gewassen, make-up bijgewerkt, haren gekamd.'

Een uur later zat ze bij de koningin. 'Met mijn harnas weer aan', zegt ze later. Haar verhouding met de koningin omschrijft ze als 'redelijk ontspannen'. 's Avonds na thuiskomst werd ze ziek van ellende.

Nog dat jaar ging Rita Kok samen met André twee

weken naar Feuerstein in Israël. Ze betaalde het bezoek van de kleine erfenis die ze had gekregen na haar vaders overlijden. Het bezoek deed André goed. 'Het gaf hem zelfvertrouwen', zegt Rita later.

'Wij hebben altijd de zorg voor André in ons hoofd', zegt Wim Kok. 'Wij beiden, maar vooral Rita.' 'Je kunt je niet voorstellen hoe het is om een gehandicapt kind te hebben dat altijd een beroep op je doet', zegt Rita. 'Maar je wordt er ook rijker van.'

Gedurende de gehele regeerperiode van Wim Kok kwam André om de week een weekend naar huis uit het Gooise instituut. Wim Kok: 'Dat was vaak een feest, soms een belasting en soms allebei.' Rita: 'Als Wim op maandagmorgen om 7.00 uur de deur uitging, vroeg ik met dezelfde interesse wat hij ging doen als aan André die iets later die ochtend op de werkboerderij de lammetjes ging flessen of veevoer ging uitpakken.'

Wim: 'Als alledrie de kinderen zonder beperkingen waren geboren en zelfstandig hun weg hadden gevonden, was Rita wellicht een andere vrouw geweest dan ze nu is. Als je zo dichtbij in je leven een ernstige handicap meemaakt, heeft dat invloed op je. Dat vraagt zoveel energie. Ze denkt niet snel in superlatieven als het gaat om belangrijkheid.' Rita: 'Als je een André in je leven hebt, is glamour niet belangrijk meer.'

Samen met Irène Steinert en anderen richtte Rita Kok eind jaren negentig een Nederlands Feuersteincentrum op in Overamstel. 'Rita had een enorm netwerk opgebouwd in de gezondheidszorg', herinnert Steinert zich. 'Met zwier bezocht ze bedrijven als Albert Heijn en Miss Etam om fondsen binnen te halen. Albert Heijn had plannen om werknemers bij te scholen op basis van de leer van Feuerstein.'

Het stichtingsbestuur vergaderde aanvankelijk in het Catshuis. Irène Steinert: 'De lunches en diners werden geserveerd door Haagse cateraars. Na afloop rekenden de Koks altijd privé af. Daar waren ze heel strikt in.'

In de tijd dat de voorbereidingen voor de opening van het Feuersteincentrum in volle gang waren, bezocht ook minister van Staat en speciaal gezant Max van der Stoel het Catshuis. Hij deed Wim Kok verslag van zijn gesprekken met Jorge Zorreguieta, de vader van prinses Máxima. Zorreguieta's verleden stond een mogelijke verloving in de weg.

Maandenlang kon Wim Kok de verslagen over de gesprekken tussen Van der Stoel en Zorreguieta met bijna niemand delen. 'Het begrip "het is eenzaam aan de top" was toen wel bijzonder van toepassing', zegt Wim Kok later. 'Het was betrekkelijk onoverzichtelijk en spannend en Rita wist er heel veel van. Omdat ik niet als een gesloten boek naast haar kon en wilde leven.'

Wim Kok noemde Rita in die tijd 'een plezierig klankbord'. 'Ik kon tegen haar aanpraten, maar ze respecteerde de afwegingen die ik in mijn verantwoordelijkheid als minister-president moest maken. Ze had een mening, maar die werkte niet belemmerend.' Rita Kok: 'Als iemand mij vroeg naar Máxima, antwoordde ik: "Ik weet het niet." Ik hield me van de domme.'

Op een zaterdagavond in maart 2001 belde Max van der Stoel Wim Kok om half zeven 's avonds. Goed nieuws. Jorge Zorreguieta had er in Sao Paolo van afgezien bij het huwelijk aanwezig te zijn. Wim Kok: 'Toen wisten Rita en ik dat er groen licht was voor een verloving. Dat is bij mij wel merkbaar geweest.' Rita Kok: 'We hebben staan dansen in de kamer.'

Op 1 september 2003 werd het nieuwe onderkomen van het Feuersteincentrum geopend. Bij die gelegenheid trokken Rita Kok en Irène Steinert samen een doek van het portret van de naamgever. 'Ze had een hekel aan linten doorknippen', zegt Steinert later. 'Alleen deze keer deed ze het met plezier.'

Het laatste regeringsjaar van Wim Kok was angstig. 'Sinds 11 september heerste er een constante spanning in huis', zegt Rita Kok. 'Een onderhuidse spanning zoals bij een slepende ziekte die ineens toe kan slaan.' Op 20 augustus 2001 had Pim Fortuyn in Twee Vandaag zijn politieke entree aangekondigd. Op 30 augustus maakte Wim Kok zijn vertrek uit de politiek bekend.

Na 11 september zag Kok uit angst voor terroristische aanslagen zoveel mogelijk van buitenlandse reizen af. 'Er was ook in Nederland een grote mate van onverdraagzaamheid', zegt hij daar later over. 'Als je weet dat je niet meer wordt herkozen, kun je je het laatste jaar concentreren op je afscheid. Dat deed ik niet. Ik bezocht zwakkere wijken, ging in debat. Ik voelde dat ik nodig was.'

'Hij wilde het land niet alleen laten', zegt Rita Kok. 'Je weet niet wat er vandaag of morgen kan gebeuren', zei Wim tegen Rita. 'Ik wil hier zijn.'

Er stonden twee punten op de politieke agenda die de spanning verhoogden: de verschijning van het Srebrenica-rapport van het Nederlands Instituut voor Oorlogsdocumentatie (NIOD) en de verkiezingen. Toen het NIOD-rapport uiteindelijk op 10 april 2002 verscheen was het dilemma voelbaar aan de keukentafel in Amsterdam. Kok zou zijn regiefunctie hebben onderschat.

Rita Kok: 'Het was heel moeilijk. Je had al die Bosnische mannen die werden afgevoerd en het onrecht dat hen werd aangedaan. En je had de Nederlandse blauwhelmen die voor hun gevoel ten onrechte verweten werd dat ze laf waren en zich niet hadden ingezet. Wat moest Wim doen?'

'Dit trek ik niet meer', zei Wim Kok in het weekend voor zijn aftreden tegen Rita. 'Ík heb geen schuld, maar toch moet ik mijn verantwoordelijkheid nemen.' 'Weet je het wel zeker?', vroeg zij. Meer om hem te behoeden voor een misstap dan uit onbegrip. Hij legde het haar nog een keer uit. Rita Kok: 'Ik stemde daarmee in. Het leed van die duizenden slachtoffers en hun nabestaanden was zijn persoonlijk lijden geworden. Ik accepteerde van hem dat zijn grens bereikt was.'

Wim Kok maakte zich grote zorgen over de manier waarop Fortuyn de media inpakte. 'Hij was retorisch fenomenaal en beangstigend tegelijk.' Rita Kok: 'Ik weet nog dat ik na afloop van het lijsttrekkersdebat na de gemeenteraadsverkiezingen chagrijnig naar bed ging. Ik was zo boos. Voor mijn gevoel had Witteman partij gekozen voor Fortuyn. Melkert was niet in vorm. Johan Stekelenburg behield als een van de weinigen zijn zelfvertrouwen. Hij zei tegen mij: "Ik had Fortuyn alle hoeken van de kamer laten zien." '

Na de moord op Fortuyn en de verkiezingen van 2002 nam de spanning alleen maar toe. Rita Kok: 'Mensen zeiden felle dingen tegen ons bij de bakker of op straat. Ze gingen niet met ons in debat zoals in de tijd van de WAO-crisis, ze scholden Wim uit voor "klootzak". De mentaliteit van de mensen was veranderd.

'Ik heb me over Nederland verbaasd. Dat nuchtere volk, ik herkende het niet meer. Ik ben zelden zo bang geweest als de nacht na de moord op Fortuyn, toen er rellen uitbraken op het Plein in Den Haag. Ik dacht: Wim, ik hoop dat je hier heelhuids uitkomt.'

Het huis werd bewaakt. Mensen belden op en legden de hoorn op de haak. Op een nacht vlak na Prinsjesdag parkeerde een auto voor de deur. Het slaapkamerraam stond open. Wim Kok sliep diep, maar Rita lag te luisteren. 'Jij zei toch dat Kok hier woont?', zei een mannenstem. Een ander bevestigde dat. 'KOK MOORDENAAR!', schreeuwde de eerste. Het autoportier sloeg dicht, voetstappen stierven weg. Rita zat rechtop in bed. Kok sliep door.

Rita: 'Dat kwam zo hard aan. Ik heb niet geweten dat ik zo kwetsbaar was. Ik huilde. Ik heb verbaasd naar mezelf zitten kijken. Ik was mijn harnas kwijt.' De volgende morgen zei ze tegen Wim: 'Als dit nog een keer gebeurt, ga ik verhuizen.'

Jutta Chorus

foto Dirk Hol

Jan Peter Balkenende en Bianca Hoogendijk

Bianca Hoogendijk (1960)
Stille doctor

De scène had zo in het Polygoon Journaal gekund. De eerste premiersvrouw van de 21ste eeuw, Bianca Hoogendijk, stond in oktober 2002 met een vlot hoedje op naast haar man op de IHC-scheepswerf in Sliedrecht. Een baggerschip lag klaar om in China 'Hollands glorie' te vertonen. Ze doopte hem de *Tong Tan*. Verrukt schreef vakblad *Schuttevaer*: 'Zij deed dat voor het eerst, maar niettemin vlekkeloos.' Het was haar eerste officiële optreden als premiersvrouw.

Bianca Hoogendijk lijkt een traditionele *first lady*, maar schijn bedriegt. Al was het maar omdat haar man allesbehalve vanzelfsprekend de leider van zijn partij en de premier van Nederland werd. Het vertrek van CDA-leider Jaap de Hoop Scheffer in het najaar van 2001 en de moord op beoogd premier Pim Fortuyn in 2002 zorgden ervoor, dat Bianca en Jan Peter Balkenende volslagen onverwacht een hoofdrol gingen spelen in het openbare leven van ons land.

Weinig traditioneel is ook Bianca's loopbaan. Ze promoveerde in mei 1999 als jurist aan de Erasmus Universiteit in Rotterdam. Al jaren gaf ze daar college en onderscheidde ze zich met wetenschappelijke publicaties. Zowel in haar werk als bij haar promotie gebruikte ze – ook na haar huwelijk met Jan Peter Balkenende – haar meisjesnaam, mr. dr. Bianca Hoogendijk.

Toen Bianca's man in 2001 lijsttrekker van het CDA werd, wisten haar studenten en collega's vaak niet eens dat zij 'de vrouw van' was. Bianca is alleen al daarom een uitzondering onder de premiersvrouwen. Ze is de eerste met een zelfstandige academische carrière. Ze is ook de eerste die een baan buitenshuis had, terwijl haar echtgenoot het land regeerde.

Bianca Hoogendijk werd op 29 september 1960 geboren, in Rotterdam. Haar vader was tandtechnicus. Het liberaal gereformeerde gezin verhuisde tijdens haar jeugd verscheidene malen binnen Nederland. Na de havo ging Bianca in 1977 naar de HEAO in Arnhem, waar ze de economisch-juridische richting volgde. Daarna besloot ze rechten te gaan studeren aan de Erasmus Universiteit in Rotterdam. Na haar afstuderen – cum laude – werd ze in 1987 beleidsmedewerker sociale zaken voor de CDA-fractie in de Tweede Kamer. Zij werkte er aan het beleid voor de werknemersverzekeringen en was mede-vormgever van het 'sociale gezicht' van de partij. Tegelijkertijd werkte ze tot 1988 als universitair docent sociaal recht aan de Katholieke Universiteit Nijmegen.

'Bianca was beslist toen al de specialist op dat terrein, ook haar wetenschappelijke belangstelling voor sociaaljuridische onderwerpen kon je vroeg merken', vertelt oud-Kamerlid Pieter Jan Biesheuvel. 'Bij de kabinetsformatie van 1989 heeft ze veel werk verzet op de moeilijkste dossiers, want toen al begon de WAO fors op te spelen bijvoorbeeld.'

'Ze vond de juridische problematiek van de sociale verzekeringen interessant', zegt een CDA-medewerker en vriend van Jan Peter Balkenende. 'Die thema's lagen braak. Haar belangstelling was eerder professioneel dan ingegeven door politiek engagement.'

Ze zocht geen conflict met Kamerleden om als medewerker een stempel te zetten op de lijn van de fractie, zegt Biesheuvel. 'Bianca was en is bescheiden, bijna stil in haar werk.' 'Tegelijk zit die bescheidenheid haar in de weg', vertelt dezelfde vriend. 'Ze laat zich alleen kennen op papier, in haar artikelen. Haar introverte karakter weerhoudt haar ervan groepen en spanningsvelden op te zoeken. Af en toe *contrecoeur*, want als je haar benadert of hulp vraagt, is ze openhartig en bereid te helpen. Ze is veel betrokkener bij mensen dan je op het eerste gezicht zou denken.'

Vanuit haar theoretische achtergrond had ze belangstelling voor politieke vragen en wilde ze graag concreet adviseren over beleid. Ze nam rustig en onopvallend deel aan het overleg en de uitjes van de fractie. Biesheuvel: 'Het CDA-archief verbergt vast nog wel ergens een foto van Bianca die aan het klootschieten is.'

Haar academische houding en aanpak werd bij collega's in de fractie met een meer 'Haagse', politieke stijl niet altijd goed begrepen. 'Ze kende de maatschappelijke en politieke belangen binnen haar portefeuille', zegt de vriend. 'Maar ze miste het vermogen om in te schatten wat politiek gevoelig lag, wat realistisch was.'

In Den Haag ontmoette ze Jan Peter Balkenende, die als jurist en historicus van de Amsterdamse Vrije Universiteit al vroeg actief was in discussies binnen het CDA, onder meer als gemeenteraadslid in Amstelveen. Twee jaar eerder dan zij was Jan Peter stafmedewerker geworden bij het wetenschappelijk instituut van de partij, in het Haagse Kuyperhuis. Door Bianca's ambitie verloren ze elkaar tijdelijk uit het oog. In 1990 verliet ze het Binnenhof nadat ze een aanstelling kreeg als universitair docent aan de Erasmus Universiteit in Rotterdam. Aan de juridische faculteit combineerde ze een docentschap met concreet onderzoekswerk binnen het arbeidsrecht.

Bianca volgde de gedachteontwikkeling en de vele ideologisch getinte publicaties van oud-collega Jan Peter, maar veel contact had ze niet met hem. Het leek nooit meer wat te worden. Tot in 1992, toen Jan Peter zijn proefschrift *Overheidsregelgeving en maatschappelijke organisaties* verdedigde tijdens een academische zitting aan de Vrije Universiteit. Op de receptie verscheen ook zijn Rotterdamse collega-expert en partijgenote. Bij het cadeautje voor de stralende promovendus deed ze een felicitatie met de veelzeggende wens: 'Nu nog professor worden...' En de vonk sprong over.

Jan Peters vader zei die dag aan het diner dat één familietraditie van de Balkenendes nodig moest worden voortgezet. Claes Dirkzoon van Balkeneynde had als stadsbouwmeester van 's Gravenhage de hand gehad in het ontwerp en de bouw van het buiten 'Zorgvliet', waar ook het Catshuis stond. 'Het zou mooi zijn als er ooit een Balkenende in gaat wonen.'

In september 1993 sprak Jan Peter zijn oratie uit als buitengewoon hoogleraar 'Christelijk sociaal denken' aan de Vrije Universiteit. Een grote verrassing was de Rotterdamse vakgenote aan zijn zijde. Bianca was er die dag, maar daarna bleef ze onzichtbaar. Een oud-collega van Jan Peter bij het Wetenschappelijk Instituut vertelt dat hij Bianca helemaal niet kent, terwijl hij al meer dan twintig jaar met Jan Peter omgaat. 'Bianca heeft duidelijk haar eigen leven. Eigenlijk vind ik het heel erg voor haar pleiten dat ze niet als een soort aanhangsel van Jan Peter optreedt. Bijna niemand in de partij kent haar.'

Minstens zo opvallend was de langdurige LAT-relatie van Bianca en Jan Peter Balkenende, ook na zijn aantreden bij de VU. Ze hadden beiden zoveel om handen dat zij in Rotterdam bleef wonen en hij in Amstelveen, waar hij in de gemeenteraad nog voorzitter van de CDA-fractie was. Vooral in het bestuurswerk hadden ze allerlei bijbanen: zij had zitting in de redacties van wetenschappelijke tijdschriften, hij in het NCRV-bestuur en de raad van toezicht van dagblad *Trouw*. 'Dat niemand haar kent in het politieke wereldje komt ook omdat zij zolang zelfstandig bleven wonen en werken. Daardoor bleef Bianca bewust buiten de politiek en bouwde haar eigen loopbaan en wereld op', zegt de oud-collega. Zelfs voormalig CDA-voorzitter Van Rij vertelt dat hij haar slechts een enkele keer ontmoette in partijgezelschappen. Daarom viel het hem op dat ze wél *acte de présence* gaf op Van Rij's recente huwelijksfeest. 'Dat heb ik erg gewaardeerd. Ook toen was zij zeer ingetogen. Ze treedt stijlvol op en straalt rust en verstand uit.'

De LAT-relatie bleek geen belemmering voor de band tussen Bianca en Jan Peter. Ze hadden veel gemeen en gaven elkaar de ruimte. Collega's in de Tweede Kamer vonden het wel eens vreemd dat Jan Peter na lange vergaderdagen 's nachts op zijn werkkamer bleef, vertelt een van hen. 'Dan moest hij weer een artikel of een essay schrijven voor een wetenschappelijk tijdschrift dat niemand las', herinnert een oud-collega zich. 'Ik zei: "Ga nou toch naar huis, man, iedereen is doodmoe". Maar nee hoor. Er was helemaal geen probleem thuis, vertelde Jan Peter, Bianca was net zo. Die twee hebben elkaar echt gevonden!' Jan Peter Balkenende zelf zegt overigens dat hij inderdaad veel artikelen schreef, maar dat hij dat altijd thuis, in Amstelveen deed. In meer dingen lijken Bianca en haar man op elkaar. Aan *Margriet* vertrouwde Bianca toe dat Jan Peter 'heel eigenwijs' is 'en dat is soms wel lastig'. Volgens intimi is het maar goed dat dat geheel wederzijds is.

Ze trouwden op 22 juni 1996 in Amstelveen zonder dat het huwelijk iets aan hun leven veranderde. Bianca woonde in Capelle aan den IJssel en Jan Peter bleef in Amstelveen. Met het CDA ging het in de eerste jaren van hun huwelijk nog erg slecht. Op het politieke dieptepunt van de partij tijdens de Tweede-Kamerverkiezingen van 6 mei 1998 behaalde het CDA 29 zetels – een verlies van vijf – en werd Jan Peter gekozen tot Kamerlid.

Diezelfde maand bleek zij zwanger te zijn van hun eerste kind. Wat zij zelf in hun enige gezamenlijke interview, in *Margriet*, 'ons weekendhuwelijk' noemden, 'wat dat betreft een uiterst modern leven', veranderde toch in een wat meer geijkt gezinsleven. Maar er werd pas verhuisd naar een gemeenschappelijk adres in Capelle aan den IJssel, toen hun dochter Amélie in januari 1999 werd geboren. Bijna zeven jaar hadden ze een LAT-relatie onderhouden, waarvan drie jaar als echtgenoten.

Buurtbewoners omschrijven de Balkenendes als 'vriendelijk'. Amélie mag van haar moeder gewoon bij de buurkinderen spelen en Jan Peter loopt op zondag in vrijetijdskleding door de straat en knoopt met zijn buren een praatje aan. 'Zelfs als hij 's ochtends vertrekt met zijn gevolg, twee auto's met lijfwachten, zwaait hij als je hem ziet', vertelt buurvrouw Saskia op 19 november 2003 in het *Algemeen Dagblad*. Bianca riep als eerste dat het belachelijk zou zijn als Jan Peter een andere kapper neemt omdat de media dat nodig vinden. 'Ziet hij er nou zo gek uit? Ik vind het wel meevallen', was haar reactie in *Margriet* op de kritiek over zijn studentikoze uiterlijk.

Na de geboorte van Amélie verloor Bianca zich niet tussen spenen en luiers in de babykamer. Ze ging gewoon weer werken, zij het dat ze haar fulltimebaan verruilde voor een 3/5 aanstelling. De tijdwinst gebruikte ze om haar promotieonderzoek af te ronden. Haar man stond vierkant achter haar. Zo zei hij in *Trouw* dat hij het helemaal niet slim vond van vrouwen met hun baan te stoppen als er een baby kwam. 'Werk is ook een stuk ontplooiing.'

In mei 1999 – vijf maanden na de bevalling – promoveerde Bianca op *De loondoorbetaling bij ziekte gedurende het eerste jaar*, een actueel vraagstuk van sociaal recht. De laatste stelling van de dissertatie, die 278 pagina's telt, luidt: 'Bij het schrijven van een proefschrift verbleekt een zware bevalling'. Over het beleid van het paarse kabinet, en vooral dat van de minister van Sociale Zaken en Werkgelegenheid, Ad Melkert, was zij in haar proefschrift scherp. De privatisering van de ziektewet had Melkert 'slordig vormgegeven', vond ze. Het ontslagverbod bij ziekte leek op het eerste gezicht best aardig, maar een baas mocht al te soepel de ziekte-uitkering staken en de werknemer kreeg weinig impulsen om blessures of ziekte te voorkomen. Hij zou juist gestimuleerd moeten worden meer eigen verantwoordelijkheid te nemen bij riskant gedrag. Het ontslagverbod kon volgens de promovenda in plaats van twee jaar beter één jaar geldig zijn, terwijl de werknemer op zijn eigen verantwoordelijkheid diende te worden aangesproken. Hier spreekt een aanhanger van de ideologie die Nederland later leerde kennen als 'de leer van Balkenende'. Met het bekende accent op het zelf verantwoordelijkheid nemen en het gezamenlijk dragen – ook in de werksituatie – van de waarden en normen van verantwoord gedrag.

Hoe het verder ging met de Balkenendes na hun verhuizing, de geboorte van Amélie en Bianca's proefschrift staat een ieder die de politiek volgde op het netvlies. Jan Peter viel op als CDA-woordvoerder Financiën. In 1999 botste hij tijdens de financiële beschouwingen hard met minister van Financiën Gerrit Zalm, toen hij zich verzette tegen de royale lastenverlichting die Zalm in de Miljoenennota had opgenomen.

Eind september 2001 besloot fractieleider Jaap de Hoop Scheffer zich niet beschikbaar te stellen als kandidaat-lijsttrekker, omdat het partijbestuur te weinig vertrouwen in hem had. Partijvoorzitter Marnix van Rij, die zelf de ambitie had lijsttrekker te worden, kreeg evenmin steun. In het panische beraad van die dagen en nachten daarna was het de Limburgse regiovoorzitter Leon Frissen die een duidelijke voorkeur etaleerde voor de nummer drie van de lijst, Jan Peter Balkenende, als nieuwe aanvoerder. Het beruchte telefooncircuit van het CDA werkte zondag 30 september als nooit tevoren. Ook in huize Balkenende stonden de telefoons roodgloeiend. Maar van een worsteling of een urenlang overleg over 'wat nu' was geen sprake. Bianca wist wat er ging gebeuren. De Tweede-Kamerfractie van het CDA móest de volgende dag een fractievoorzitter en lijsttrekker kiezen en wie kon dat anders worden dan vice-voorzitter Jan Peter? Hoe konden de Kamerleden anders voorkomen dat een nieuw conflict over de leiding het CDA zou lamleggen? En dus werd Jan Peter binnen 24 uur zowel fractievoorzitter als lijsttrekker van het CDA.

'Wat had hij anders moeten doen?', is de tegenvraag die Bianca nadien stelde aan wie haar ernaar vroeg. Het is de vraag van een scherpe, maar nuchtere adviseur. Daarom verbaasde het niet dat zij in het *Algemeen Dagblad* bij een eerste analyse van de kring van vertrouwelingen rond premier Balkenende op de eerste plaats stond. En dus zei haar man 'ja' toen de partij hem vroeg de lijst te trekken. En dus hoorde Bianca dat besluit via de media, want erg veel onderling beraad was er tussen hen niet of niet meer nodig.

Later gaf Bianca toe welke gevoelens haar toen beheersten: 'Ik heb echt tot het laatste moment gehoopt: laat het alsjeblieft goed komen', bekende ze in *Margriet*. 'Het was een voldongen feit. Ik zeg niet dat ik het heel leuk vind, maar het is gebeurd en we zitten er in. We gaan ervoor. Klaar.' Zulke ambivalente gevoelens herkent haar man in haar: 'Bianca heeft nooit "nee" gezegd. Ze zei toen "we gaan ervoor". Ik heb altijd geleerd in mijn leven om niets te plannen. Mijn vrouw weet hoe ik in elkaar zit. We komen er altijd samen wel uit.'

Wat Bianca en Jan Peter verbindt is een typisch calvinistische combinatie van gedrevenheid en vertrouwen, of, in termen van hun kring, verantwoordelijkheidsgevoel en een besef van levensleiding. Bianca zei later tegen Jan Peter: 'Ik heb het niet van jou gehoord, ik hoorde het via het nieuws.

Dan valt er weinig te bespreken.' Nooit 'nee' zeggen is dan 'ja' zeggen.

Pril en kwetsbaar was de positie van Bianca en haar man. Op zaterdag 3 november 2001 kwam het CDA bijeen om de crisis te bezweren, te redden wat er te redden viel. Bianca verscheen op de partijraad aan de zijde van Jan Peter, onwennig voor het eerst op de voorste rij van de zaal, in de lens van de camera's. Het licht ging uit. De partij en de rest van Nederland zouden worden opgewarmd met een introductiefilm over de nieuwe lijsttrekker. Na enkele ogenblikken begon een kleine nachtmerrie. De reclamespot bleek over Jaap de Hoop Scheffer te gaan. Iemand had de verkeerde cassette meegenomen. Zat Bianca ook in de verkeerde film? 'Ik was blij dat ik naar mijn werk kon', was haar commentaar.

Dat werk bleef haar toevluchtsoord. Campagne of niet, regeren of oppositie, Bianca publiceerde en doceerde gewoon door. Twaalf wetenschappelijke publicaties vermeldt ze op haar persoonlijke webpagina en onder de noemer 'vakpublicaties in EUR-dienst' rubriceert ze tachtig bijdragen sinds 1993. Ze had een maandelijkse rubriek in het blad *Sociaal Recht* en publiceert ook nog maandelijks, samen met haar collega prof. C. Loonstra, in de periodiek *Dossier Arbeid & Recht*.

Daarnaast verschenen van haar hand opiniërende artikelen als 'Reïntegratie is ook een plicht' (1998), 'Zwangerschap, een uitsluitingsgrond?' (1995) en 'Proeftijdbeding en goed werkgeverschap' (2001). Tijdens haar zwangerschap zagen 28 publicaties het licht en in het jaar dat Amélie werd geboren verschenen nog twintig artikelen van haar hand.

In plichtplegingen als premiersvrouw steekt Bianca weinig

energie. Ze gaat zelden mee op officiële reizen. Een van de weinige keren dat ze Jan Peter naar het buitenland vergezelde, was in september 2002 op de Europese top in Kopenhagen. Bij de feestelijke heropening van het gerestaureerde Catshuis in december 2003 was ze niet aanwezig. Volgens de Balkenendes waren de partners van de bewindslieden ook niet uitgenodigd.

De staf van de Rijksvoorlichtingsdienst en die van het Torentje hebben de opdracht alle verzoeken om contact met de premiersvrouw strikt af te houden. Behoefte om charitatieve modeshows te organiseren of weefsels te exposeren, heeft ze niet. Haar ambities op artistiek gebied of in de wereld van de glamour zijn beperkt, zoals haar bekentenis in *Margriet* over haar garderobe – 'niet te frivool' – al aangeeft: 'Kleding kopen doen we altijd samen, ook mijn kleding. Soms als ik iets nodig heb en Jan Peter kan echt niet, doe ik het alleen. Maar ik kan me niet heugen dat dat is gebeurd.' Binnen het CDA wordt de degelijkheid van Bianca en haar man wel gewaardeerd, maar onder de jongere generatie in de Tweede Kamer wordt hun nuchterheid ook als nogal koel en verstandelijk ervaren.

Het veelbewogen jaar 2002 eindigde somber voor het gezin Balkenende. Voor de tweede keer in één kalenderjaar stond Bianca aan de vooravond van een slopende verkiezingscampagne. Ze was ongewild publiek bezit geworden. Buurvrouw Sylvia vertelt in het *Algemeen Dagblad* dat ze 'doodziek' wordt van de pottenkijkers die bij wijze van weekenduitje het huis van de Balkenendes in Capelle aan den IJssel opzoeken, alsof het een aangespoelde potvis betreft. 'Op mooie zondagen wemelt het hier van de dagjesmensen die Balkenendes huis willen zien. Waarom? Ik zou het niet weten. Ik heb mijn kinderen ook gezegd dat ze het moeten komen zeggen als iemand zich verdacht gedraagt.'

Aan het einde van het jaar kreeg Bianca een zware klap. Voor het eerst in meer dan een jaar had het gezin Balkenende een wintersportvakantie naar Oostenrijk gepland, maar ze moesten hun vertrek opschorten. Bianca's moeder, die aan kanker leed, lag op sterven. Bianca was de laatste maanden van haar moeders leven dag en nacht in haar buurt. 'Niks vakantie dus, ze zaten aan het sterfbed', vertelt een intimus uit het campagneteam. Rond Kerstmis overleed Bianca's moeder. 'Helemaal kapot waren ze. Toen meteen daarna de campagne moest beginnen, bleef Bianca weg en was Jan Peter nergens, hopeloos ging het.'

Ondanks dit persoonlijke drama werd Jan Peter weer premier. Het CDA won op 22 januari 2003 en kwam daarmee op 44 zetels. De spanningen verminderden echter niet. Op 13 september 2003 werd een 50-jarige man opgepakt. Bij een regionaal radiostation boezemde zijn geraas tegen de Balkenendes een telefoniste zo'n angst in, dat ze de politie alarmeerde. Buurvrouw Saskia: 'Na concrete bedreigingen wordt voor hun huis een politiepost opgetuigd. Eén keer is de auto van vrienden, met wie we een weekeinde weg waren, weggesleept.'

Enkele weken later was het weer raak. In hun straat in Capelle aan den IJssel liet op 27 oktober een 33-jarige man zich in een taxi voorrijden. Hij wilde weten waar het gezin Balkenende woonde. Een van de buurvrouwen sloeg alarm en de politie vond een groot mes dat de man bij zich droeg.

Sylvia, die schuin tegenover Bianca en haar gezin woont,

gaf toe dat zij en andere buurvrouwen het met hun echtgenoten er al eens over hadden gehad of ze niet naar een andere woning moesten omzien. 'Alles leuk en aardig, maar zodra hier gekken met messen rondlopen, wordt het te gek. Wij hebben ook kleine kinderen. Ik denk dat we in de best beveiligde straat van Nederland wonen. Ik heb gezien dat medewerkers van een beveiligingsbedrijf vijf dagen bezig zijn geweest met het plaatsen van camera's en kogelwerend glas. Daar komt niemand doorheen.'

Tijdens het politieverhoor liet de 33-jarige man weten dat hij Bianca op haar verzoek had willen spreken over zijn lidmaatschap van het CDA. Bianca ontkende dat. Later werd bij de man thuis een geladen pistool aangetroffen.

Daar stond Bianca Hoogendijk op die scheepswerf in Sliedrecht. Als op een CDA-toogdag uit vroeger dagen verschenen de vendelzwaaiers van het Onze-Lieve-Vrouwegilde uit Aarle Rixtel om het schip uit te wuiven. De tewaterlating van de *Tong Tan* werd luister bijgezet met het volkslied van de Volksrepubliek China en met vuurwerk. Om de geesten te bezweren, legde *Schuttevaer* uit.

Peter Rehwinkel (red.)

OVERZICHT PREMIERS

1945-1946	WILLEM SCHERMERHORN (PvdA)
1946-1948	LOUIS BEEL (KVP)
1948-1958	WILLEM DREES (PvdA)
1958-1959	LOUIS BEEL (KVP)
1959-1963	JAN DE QUAY (KVP)
1963-1965	VICTOR MARIJNEN (KVP)
1965-1966	JO CALS (KVP)
1966-1967	JELLE ZIJLSTRA (ARP)
1967-1971	PIET DE JONG (KVP)
1971-1973	BAREND BIESHEUVEL (ARP)
1973-1977	JOOP DEN UYL (PvdA)
1977-1982	DRIES VAN AGT (CDA)
1982-1994	RUUD LUBBERS (CDA)
1994-2002	WIM KOK (PvdA)
2002-	JAN PETER BALKENENDE (CDA)

BARBARA SCHERMERHORN-ROOK | Remco Raben
Gesproken met: L.C. van Dam-Schermerhorn en D. Schermerhorn (kinderen).
Geraadpleegd: Correspondentie J. van Gijn; Collectie W. Schermerhorn (Nationaal Archief Den Haag); W. Drees e.a., Prof.dr.ir. W. Schermerhorn, *Minister-president van herrijzend Nederland* (Naarden 1977); F.J.F.M. Duynstee en J. Bosmans, *Het kabinet Schermerhorn-Drees, 24 juni 1945 - 3 juli 1946* (Assen en Amsterdam 1977); C. Smit (red.), *Het dagboek van Schermerhorn. Geheim verslag van prof.dr.ir. W. Schermerhorn als voorzitter der commissie-generaal voor Nederlands-Indië 20 september 1946 - 7 oktober 1947* (2 delen; Utrecht 1970).

JET BEEL-VAN DER MEULEN | Lambert J. Giebels
Dit portret is gebaseerd op onderzoeksmateriaal van Lambert J. Giebels voor zijn biografie: *Beel – van vazal tot onderkoning* (Den Haag; derde druk 2001).

TO DREES-HENT | Jelle Gaemers
Dit portret is deels gebaseerd op onderzoeksmateriaal dat H. Daalder en de auteur bijeenbrachten voor hun meerdelige biografie van Willem Drees. Daarvan is één deel verschenen: Hans Daalder, *Willem Drees 1886-1988. Gedreven en behoedzaam: de jaren 1940-1948* (Amsterdam 2003).
Gesproken met: Jan Drees (1919-2002) en Wim Drees (1922-1998). Kleindochter Marijke Drees en kleinzoon Willem B. Drees gaven aanvullende informatie.

Geraadpleegd: Archief Drees (Nationaal Archief Den Haag) en familiecorrespondentie (particulier bezit); de door Drees geschreven boeken en artikelen.
Het geciteerde gedicht *Het sprookje in de Ridderzaal* is geschreven door E. van Baal-Hofmans.

MARIA DE QUAY-VAN DER LANDE | Trix Broekmans
Gesproken met: Cas de Quay en Maas de Quay, Hanna Janssens-de Quay en Claar Snijders-de Quay (kinderen).
Geraadpleegd: Dagboeken Jan de Quay 1959-1965 (Rijksarchief Noord-Brabant Den Bosch); Maria en Jan de Quay, *Er is steeds begin...* (Hiersenhof 1977); C.M. Hagenstijn, *Van bosmolen tot chemische specialiteiten, De geschiedenis van Noury & Van der Lande en de beide betrokken families* (Deventer 1988); krantenartikelen.

MINI MARIJNEN-SCHREURS | Antje Koelewijn & Jannetje Koelewijn
Gesproken met: Mini Marijnen-Schreurs; Michel Marijnen en Eugénie Schornagel-Marijnen (kinderen), Rob Schreurs (broer), Sia van der Arend (hoofd huishouding Catshuis).
Geraadpleegd: krantenartikelen; website Parlement & Politiek (www.parlement.com).

TRUUS CALS-VAN DER HEIJDEN | Carla Joosten
Gesproken met: Noud Cals en Marga Cals (kinderen), Maria Schelfhout-Garé (vriendin), pater Hans Bijmans SJ, Sia van der Arend (hoofd huishouding Catshuis), Paul van der Steen (biograaf Jo Cals).
Geraadpleegd: Jan Brabers, *De Faculteit der Rechtsgeleerdheid van de Katholieke Universiteit Nijmegen (1923-1982)*

(Nijmegen 1994); G. Puchinger, *Nederlandse minister-presidenten van de twintigste eeuw* (Amsterdam 1984); *De Heraut*, nr. 116 1985; *Margriet*, 26 juni 1965; krantenartikelen.

HETTY ZIJLSTRA-BLOKSMA / Ineke Jungschleger
Gesproken met: Hetty Zijlstra-Bloksma; Irene Zijlstra (dochter), Lies Ermerins-Kleinman (oud-dienstmeisje), Jantina Verdam-Boomsma (vriendin), Roelina Eisma-Mulder (vriendin).
Geraadpleegd: dr. G. Puchinger (red.), *Dr Jelle Zijlstra, Gesprekken en Geschriften* (Amsterdam 1978); Jelle Zijlstra, *Per slot van rekening, memoires* (Amsterdam 1992); Anne Wiarda, *Bleu* (Amsterdam 1999).

ANNEKE DE JONG-BARTELS / Ruben Post
Gesproken met: Piet de Jong (man), Maria de Jong (dochter), Conny Hijmans (vriendin), Sia van der Arend (hoofd huishouding Catshuis), Jan Willem Brouwer en Johan van Merriënboer (biografen Piet de Jong) en Berend Jan en Anneke Udink (oud-minister en diens echtgenote), Ino Wubben (RVD).
Geraadpleegd: Archief P.J.S. de Jong (Katholiek Documentatiecentrum Nijmegen); Archief minister-president (Nationaal Archief Den Haag).
J.W. Brouwer en J. van Merriënboer, *Van buitengaats naar Binnenhof. P.J.S. de Jong, een biografie* (Den Haag 2001); A.M.C. van Dissel en J.R. Bruijn, *Bij de Marva. Vrouwelijke militairen in dienst van de Koninklijke Marine 1944-1982* (Amsterdam 1994); W.G. Visser, *De Geheime Dienst Nederland. Een documentair verslag over een inlichtingengroep in bezet gebied 1943-1945* (Barendrecht 1989).

MIES BIESHEUVEL-MEURING / Peter Rehwinkel
Gesproken met: Wieke Biesheuvel, Mark Biesheuvel en Berty Biesheuvel (kinderen), Ans Eigenraam (vriendin), Sia van der Arend (gastvrouw Catshuis), Norbert Schmelzer (oud-minister) en Willem Aantjes (oud-fractievoorzitter).
Geraadpleegd: Robbert Ammerlaan, *Het verschijnsel Schmelzer – Uit het dagboek van een politieke teckel* (Leiden 1973); Roelof Bouwman, *De val een bergredenaar – Het politieke leven van Willem Aantjes* (Amsterdam 2002); P.F. Maas, *Kabinetsformaties 1959-1973* ('s-Gravenhage 1982).

LIESBETH DEN UYL-VAN VESSEM / Jan Hoedeman
Gesproken met: Hedy d'Ancona, Ageeth Scherphuis en Trix Betlem (vriendinnen), Marion den Uyl (dochter), Anny Nijman en Tineke Pronk (oud-ministersvrouwen), Ed van Thijn, Max van der Stoel, Jos van Kemenade en Wim Meijer (oud-politici), Mies Bouhuys (bestuurslid SAAM).
Geraadpleegd: Archief Liesbeth den Uyl (IISG Amsterdam); Liesbeth den Uyl, *Ik ben wel gek maar niet goed* (Utrecht 1987) en *Beppie van Vessem* (Utrecht 1988).

EUGENIE VAN AGT-KREKELBERG / Jaap Stam
Eugenie van Agt wilde voor dit portret geen interview geven, maar heeft de tekst wel op feitelijke onjuistheden gecontroleerd.
Gesproken met onder anderen: Eugenie Kuyer-Rubbens (studiegenote, bridgepartner en vriendin van Eugenie) en Hans Hillen (prominent lid van het CDA en huisvriend van de Van Agts).
Geraadpleegd: *De Tijd*, 13 januari 1978 en 13 maart 1981,

Haagse Post, 11 september 1982, *Algemeen Dagblad*, 10 september 1994, diverse andere kranten en weekbladen en Pieter Bootsma en Willem Breedveld, *De verbeelding aan de macht, Het kabinet-Den Uyl 1973-1977* (Den Haag 1999).

RIA LUBBERS-HOOGEWEEGEN | Arendo Joustra & Erik van Venetië
Ria Lubbers wilde voor dit portret geen interview geven, maar heeft de tekst wel op feitelijke onjuistheden gecontroleerd. Bij het schrijven hebben de auteurs zich gebaseerd op informatie die ze verzamelden voor hun boeken over Ruud Lubbers en de vele vraaggesprekken die Ria Lubbers de afgelopen dertig jaar heeft gegeven. Met name het interview van Hugo Camps in *Elsevier* van 20 februari 1988 en de transcriptie van een lang interview dat Jutta Chorus in 1998 met Ria Lubbers had en waarvan zij slechts een klein gedeelte heeft gebruikt voor een artikel in NRC *Handelsblad*.

RITA KOK-ROUKEMA | Jutta Chorus
Gesproken met: Rita Kok, Wim Kok (man), Irène Steinert (vriendin) en Marcel van Dam (partijgenoot).
Geraadpleegd: krantenarchief NRC *Handelsblad*; Jan Tromp en Bert Verhoeff, *De lange mars van Wim Kok* (Amsterdam 2002); Peter Rehwinkel en Jan Nekkers, *Regerenderwijs; de PvdA in het kabinet Lubbers|Kok* (Amsterdam 1994); televisiefragmenten van Wim Kok bij het Nederlands Instituut voor Beeld en Geluid; documentairefilm *De keuken van Kok* van Niek Koppen (1998).

BIANCA HOOGENDIJK
Aan dit hoofdstuk is door verschillende auteurs gewerkt,

terwijl Peter Rehwinkel ook hier tekende voor de eindredactie.
Bianca Hoogendijk wilde voor dit portret geen interview geven, maar heeft de tekst wel op feitelijke onjuistheden gecontroleerd. Met verschillende mensen uit de CDA-kring rond het echtpaar Balkenende is *on* en *off the record* gesproken.
Geraadpleegd: mr.dr. B. Hoogendijk, *De loondoorbetalingsverplichting gedurende het eerste ziektejaar* (diss. Rotterdam 1999); Pieter Gerrit Kroeger en Jaap Stam, *De rogge staat er dun bij. Macht en verval van het* CDA *1974-1998* (Amsterdam 1998); dr. J.P. Rehwinkel, *De Minister-President, Eerste onder gelijken of gelijke onder eersten?* (diss. Groningen 1991); *Algemeen Dagblad,* 26 april 2003 en 19 november 2003; *Margriet,* 22 maart 2002; *Trouw,* 18 juli 2002.

TRIX BROEKMANS (1948) is freelance journalist. Ze publiceerde onder meer in *Algemeen Dagblad*, NRC *Handelsblad* en *Quote*, en is columnist voor *De Gelderlander*. Ook schreef ze diverse boeken, waarin ze journalistiek combineert met historisch onderzoek.

JUTTA CHORUS (1967) is redacteur van NRC *Handelsblad*. Ze schreef, samen met Menno de Galan, over de geheime wereld van Leefbaar Nederland en de LPF. In 2002 publiceerde ze met De Galan het boek *In de ban van Fortuyn, reconstructie van een politieke aardschok*. In september 2003 kregen Chorus en De Galan voor hun publicaties in NRC *Handelsblad* de Prijs voor de Dagbladjournalistiek.

JELLE GAEMERS (1964) is historicus. Samen met H. Daalder werkt hij aan een meerdelige biografie van Willem Drees (1886-1988). Gaemers zal in zijn deel het leven van Drees gedurende de jaren 1886-1940 beschrijven.

LAMBERT J. GIEBELS (1935) is historicus en oud-lid van de Tweede Kamer voor de PvdA. Hij promoveerde in 1995 aan de universiteit van Nijmegen op zijn biografie van Louis Beel en schreef een tweedelige biografie van Soekarno (1999 en 2001). Giebels publiceert met enige regelmaat in historische tijdschriften.

JAN HOEDEMAN (1960) is politiek redacteur van *de Volkskrant*. Hij schreef *Haagse tableaus* (1998), *Hans Wiegel en het spel om de macht* (1993), en *Veenendaal in de Tweede Wereldoorlog* (1985). Eerder werkte hij voor televisieprogramma Buitenhof, radioprogramma In de Rooie Haan en de weekbladen *Elsevier* en *Haagse Post*.

CARLA JOOSTEN (1960) is redacteur van het weekblad *Elsevier*. Ze schreef, samen met Natascha Kuit en Tom van der Maas, *Politieke woorden* (1997).

ARENDO JOUSTRA (1957) is hoofdredacteur van het weekblad *Elsevier*. Eerder werkte hij voor *de Volkskrant*, onder meer als politiek verslaggever. Samen met Erik van Venetië schreef hij een biografie over Ruud Lubbers: *Ruud Lubbers, Manager in de politiek* (1989) en een boek over het ambt van minister-president onder Lubbers: *De geheimen van het Torentje* (1993). Met Van Venetië is hij ook de samensteller van *Samen onderweg* (1991), de verzamelde toespraken en artikelen van Ruud Lubbers.

INEKE JUNGSCHLEGER (1943) is freelance journalist. Ze werkte als verslaggever en redacteur bij diverse omroepen en voor NRC *Handelsblad* en *de Volkskrant*. Ze schreef, samen met Claar Bierlaagh, *Marga Klompé. Een gedreven politica, haar tijd vooruit* (1990).

ANTJE KOELEWIJN (1954) is historica en verpleegkundige.

JANNETJE KOELEWIJN (1959) is neerlandica en redacteur van NRC *Handelsblad*. Eerder werkte ze voor *Vrij Nederland*. Ze schreef twee boeken over Fokker en een boek over Nederlandse zakenmannen.

RUBEN POST (1975) is historicus en medewerker van de Tweede-Kamerfractie van de PvdA. Hij schreef mee aan jubileumboeken over de PvdA in Groningen (1996) en over de Jonge Socialisten (1998) en was bestuurslid van de Landelijke Studenten Vakbond (LSVb, 2000-2001).

REMCO RABEN (1962) is historicus. Hij werkt als senior-onderzoeker in de Aziatische geschiedenis bij het Nederlands Instituut voor Oorlogsdocumentatie en doceert aan de universiteiten van Amsterdam en Utrecht. Hij schreef over de geschiedenis van Indonesië, Sri Lanka, Thailand en Nederland.

PETER REHWINKEL (1964) is burgemeester van Naarden en oud-lid van de Tweede Kamer voor de PvdA.
In 1991 promoveerde hij op een proefschrift over de staatsrechtelijke positie van de Nederlandse minister-president. Hij schreef, samen met Jan Nekkers, *Regerenderwijs: de PvdA in het kabinet-Lubbers/Kok* (1994).

JAAP STAM (1956) is redacteur van *de Volkskrant*. Hij schreef, samen met Pieter Gerrit Kroeger, *De rogge staat er dun bij. Macht en verval van het CDA, 1974-1998* (1998). Zijn interviews met ministers en staatssecretarissen van Onderwijs voor *Folia* zijn gebundeld in *Hoog gegrepen. Tien bewindslieden, universiteiten en politiek* (1995).

ERIK VAN VENETIË (1958) is politicoloog en adviseur op het gebied van politiek en media bij Berenschot Communicatie. Eerder werkte hij als politiek redacteur bij *de Volkskrant* en was hij hoofd *public affairs* bij de Nederlandse Spoorwegen.

Samen met Arendo Joustra schreef hij een biografie over Ruud Lubbers: *Ruud Lubbers, Manager in de politiek* (1989) en een boek over het ambt van minister-president onder Lubbers: *De geheimen van het Torentje* (1993). Met Joustra is hij ook de samensteller van *Samen onderweg* (1991), de verzamelde toespraken en artikelen van Ruud Lubbers.

PERSONENREGISTER

COLOFON

Ontwerp en opmaak
Piet Gerards i.s.m. Janneke Vlaming (BPG)
Druk en afwerking
Koninklijke Wöhrmann
Foto omslag
ANP

ISBN 90 5807 201 0
NUR 697

ARBARA SCHERMERHORN-ROOK

ET BEEL-VAN DER MEULEN

O DREES-HENT

IARIA DE QUAY-VAN DER LANDE

IINI MARIJNEN-SCHREURS

RUUS CALS-VAN DER HEIJDEN

IETTY ZIJLSTRA-BLOKSMA

NNEKE DE JONG-BARTELS

IIES BIESHEUVEL-MEURING

IESBETH DEN UYL-VAN VESSEM

UGENIE VAN AGT-KREKELBERG

IA LUBBERS-HOOGEWEEGEN

ITA KOK-ROUKEMA

IANCA HOOGENDIJK

BARBARA SCHERMERHORN-ROOK

JET BEEL-VAN DER MEULEN

TO DREES-HENT

MARIA DE QUAY-VAN DER LANDE

MINI MARIJNEN-SCHREURS

TRUUS CALS-VAN DER HEIJDEN

HETTY ZIJLSTRA-BLOKSMA

ANNEKE DE JONG-BARTELS

MIES BIESHEUVEL-MEURING

LIESBETH DEN UYL-VAN VESSEM

EUGENIE VAN AGT-KREKELBERG

RIA LUBBERS-HOOGEWEGEN

RITA KOK-ROUKEMA

BIANCA HOOGENDIJK